HÔTELS

EXTRAORDINAIRES

ÉVASION

H E R B E R T   Y P M A

HÔTELS

EXTRAORDINAIRES

ÉVASION

Herbert Ypma

HACHETTE

Avant-propos

La culture urbaine dans laquelle nous sommes plongés à longueur d'année, les exigences stressantes d'une vie citadine, la course permanente à l'objectif sont loin de satisfaire toutes nos attentes. Vivre ne peut se réduire à la seule satisfaction de nos besoins matériels. Il faut une part de découverte, de mystère, d'idéal, d'aventure. Bref, notre mode de vie nous incite chaque jour davantage à reconquérir les valeurs essentielles. Nous aspirons irrésistiblement à changer d'air, de contexte, de préoccupations.

Mais notre civilisation a beau être celle de la consommation, il n'est pas si facile que cela de profiter au mieux du temps libre dont nous disposons. Naturellement, chacun a ses critères. Pour les uns, le bonheur consiste à se lever avant l'aube pour parcourir la brousse africaine, armé d'un appareil photo. D'autres seront comblés de n'avoir rien de plus exténuant à pourchasser que des *spaghetti alla marinara* au bord de la Méditerranée.

Les hôtels sélectionnés ici proposent toutes sortes de solutions aux uns comme aux autres (y compris à ceux qui se situent quelque part entre les deux). Mais tous ces hôtels extraordinaires ont au moins deux points en commun : rien n'y est prévu pour accueillir les hordes de touristes et rien en eux n'offense les lieux magnifiques dans lesquels ils sont installés. Qu'il s'agisse des paysages sauvages du Wyoming ou de la Camargue, de l'immensité vierge de la brousse australienne, du charme idyllique d'une île déserte ou du raffinement sensuel de la côte amalfitaine, les hôtels que nous avons retenus s'imprègnent tous de la beauté des lieux, mieux, la rehaussent par une architecture inspirée, en harmonie avec l'environnement naturel et le style de la région. Par ailleurs, la plupart ont une histoire qui renforce leur attrait. Et tous se distinguent par une inépuisable attention portée aux moindres détails.

Le pouvoir de l'architecture sur nos émotions est souvent sous-estimé. Un phare dressé au Cap Horn sublime le splendide isolement du site. Un hôtel de neige et de glace exalte la froide magnificence de l'Arctique. Il ne s'agit pas d'entrer dans un débat académique sur l'architecture, mais tout simplement de prendre conscience que l'homme a le don de magnifier ce que la nature a déjà fait de plus beau.

El Questro

L'Australie est marquée par des contrastes aussi violents qu'étranges. Alors que quatre-vingt-dix pour cent de sa population vit dans de grandes villes, plus des neuf dixièmes du pays sont inhabités. La brousse, énorme tache rouge sur les photographies prises par satellite, est une invraisemblable étendue quasiment désertique qui n'est jamais qu'à quelques heures de voiture de n'importe quelle ville. Et pourtant, elle reste curieusement étrangère à la plupart des autochtones. Quand les Australiens voyagent, ils vont en Asie, en Europe ou en Amérique plutôt qu'à Uluru (Ayers Rock), à Kakadu ou aux Bungle Bungles. L'Australien moyen ignore tout de la brousse. Ce qui n'a rien d'étonnant : il fait ses courses dans des centres commerciaux, roule dans une Ford, une BMW ou une Toyota, et regarde les mêmes programmes de télévision imbéciles que nous. L'écrivain australien Philip Adams, éditorialiste et ancien gourou de la publicité, a ainsi pu qualifier l'Australie de « nation la plus banlieusarde du monde ».

Mais, curieuse ironie, c'est la brousse – l'ultime *frontière* – que la plupart des touristes veulent voir. Impossible de décrire par des mots une telle immensité, espace sans limite qui donne une assez bonne idée de l'infini. C'est cette vastitude, inégalée sur la planète, qui fit une impression ineffaçable sur Will Burrell. Jeune élève d'Eton, il était venu en Australie effectuer un stage comme *jackaroo* (garçon de ferme), et finit à la tête d'un élevage et de cinq cent mille hectares perdus au fin fond du nord-ouest du continent.

El Questro se trouve dans la région de Kimberley, qui s'enorgueillit de posséder les couches géologiques les plus anciennes du monde. Des pics de grès escarpés s'élèvent au-dessus de larges gorges déchiquetées, aux eaux infestées de crocodiles. La plaine, elle, est parsemée d'hévéas et de poches de forêts tropicales. Les mois de décembre, janvier et février sont trop humides pour le tourisme : une colossale mousson transforme alors le sol en boue rougeâtre – si mousson et brousse vous semblent incompatibles, rappelez-vous que l'Australie est si vaste qu'El Questro se trouve en fait plus près de Jakarta que de Sydney.

Au début, Burrell et Celia, sa femme, Australienne, envisageaient de garder pour eux cette terre sauvage. La maison qui surplombe aujourd'hui de façon si spectaculaire la gorge de Chamberlain, a été initialement conçue à leur intention par Geoffrey Pie, architecte du Queensland. Mais, en chemin, la maison s'est transformée en hôtel. Soit dit en passant, « el questro » ne signifie rien, dans aucune langue : c'est une pure invention.

La journée commence dès 6 heures, avec café et promenade dans la fraîcheur du petit matin. Les excursions sont classées de 1 à 5, suivant leur difficulté. Parmi de très nombreuses possibilités, vous pouvez choisir d'escalader la gorge Emma (niveau 3) ou de marcher jusqu'aux sources d'eau chaude Zebedee (niveau 1). Tout le monde est de retour vers 10 h 30 pour le petit déjeuner, avant de recommencer, l'après-midi,

lorsque le soleil australien a quelque peu perdu de sa férocité. El Questro est équipé de tous les joujoux imaginables : un hélicoptère à quatre places toujours prêt (dans ce coin isolé, il n'y a pas d'autre moyen pour rassembler le bétail), des quatre-quatre de fabrication spéciale, des chevaux et un bateau à fond plat et moteur électrique pour naviguer en silence dans la gorge.

Contrairement à la plupart des hôtels de luxe, El Questro s'adapte à différents budgets. Il y a d'abord les bungalows (avec air conditionné tout de même), le long de la rivière Pentecost. Puis une série de tentes bien aménagées, style *Out of Africa*, plantées dans la gorge Emma. Et, finalement, la maison elle-même. Quelle que soit la solution choisie – certains optent pour les trois à tour de rôle –, chacun a droit au plus merveilleux des cadeaux : une Australie restée telle qu'elle était il y a des millions d'années.

Adresse : El Questro, PO Box 909, Kununurra, Western Australia 6743, Australia

Téléphone : (61) 8 9169 1777 - **Fax** : (61) 8 9169 1383

Chambres : à partir de 103 A$

Compass Point

Il y a, aux Caraïbes, deux catégories d'îles : celles qui accueillent les énormes bateaux de croisière et leur clientèle inconditionnelle du bleu layette et du jaune canari, des voyages en groupes et du shopping hors taxes ; et les autres, paradis de sable blanc, de ciel bleu et d'eau verte, qui exploitent leur absence de boutiques hors taxes, de piscine, de casino et de voyages organisés, fières qu'elles sont de leur petite taille et de leur atmosphère intime.

New Providence participe des deux. Nassau, sur sa côte nord-est, est la capitale des Bahamas, archipel de quelque sept cents îlots situé juste à côté de la Floride. Sur le trajet de nombreux bateaux de croisière, Nassau regorge de bijouteries hors taxes, de boutiques de montres ou de boissons alcoolisées. Ses rues débordent de chemises hawaïennes, de bermudas et de sacs en plastique. Quant à son architecture coloniale, elle est au bord de l'asphyxie.

Mais, tout au bout de l'île, Compass Point est tout son contraire : une série de cases créoles, installées en bordure d'un endroit idyllique, sans centre commercial ni boîte de nuit, ni même d'autre hôtel. Toutes les maisonnettes ouvrent jusqu'à l'horizon sur une eau turquoise, claire comme le cristal, et aucune n'est à plus de quelques centaines de mètres d'une plage privée.

Paisibles, calmes et isolés, les lieux n'ont pourtant rien de lénifiant. C'est même peut-être le coin le plus coloré de la planète. Pour décorer les cases de Compass Point, Chris Blackwell, l'entrepreneur de l'hôtel (et le fondateur des Island Records), a misé sur le penchant des Caraïbes pour les couleurs vives et il leur a donné carte blanche. L'audace et l'originalité des coloris ont été largement remarquées. Compass Point est vite devenu un pôle d'attraction tant pour les autochtones que pour les clients des hôtels voisins. Le restaurant, spectaculairement perché à l'extrémité de la digue et tourné vers la lagune, affiche complet tous les soirs. Le décor, l'ambiance et la situation y sont évidemment pour beaucoup, mais la cuisine aussi. Elle correspond exactement à ce que l'on aime manger aux Caraïbes : du poisson et des épices.

Ce sont justement les épices qui poussèrent Christophe Colomb à voguer vers l'ouest, dans l'espoir de trouver une route plus directe pour l'Extrême-Orient. Au lieu de quoi il accosta à

Guanahani, une île des Bahamas rebaptisée San Salvador par les Espagnols. Ceux-ci réduisirent en esclavage la population indigène, les Taoi, et les firent travailler en masse dans les mines et les plantations. Mais il n'y avait pas d'or aux Bahamas, et ces îles furent vite éclipsées par celles qui en détenaient. Désertées, elles échurent aux Britanniques, en 1629. La puissance des Espagnols dans la région avait alors beaucoup décliné et la piraterie battait son plein. Envahie de personnages véreux, d'argent sale et de vice, Nassau avait la réputation d'être la Shangaï des Caraïbes. Cette époque prit fin après une campagne d'assainissement menée par un gouverneur général ambitieux qui lança de grandioses projets agricoles et « importa » par bateaux entiers des esclaves africains pour travailler sur les terres concédées par la couronne britannique.

Malgré cela, les plantations des Bahamas ne soutenaient pas la comparaison avec celles d'Amérique du Sud. Elles ne connurent un certain essor que durant la guerre civile américaine, lorsque les États du Sud, confrontés au blocus de leurs côtes, durent, pour expédier leur coton aux fabriques de Lancaster, en Angleterre, le faire transiter par Nassau. C'est alors qu'on construisit, pour accueillir les marchands de coton, le premier Grand Hôtel. Ainsi naquit l'industrie du tourisme, aujourd'hui principale source de richesse des Bahamas. Au début du XXe siècle, leur climat idéal et leurs plages immaculées attirèrent les touristes désireux d'échapper à l'hiver américain. Après la Seconde Guerre mondiale, l'apparition de l'air conditionné en fit une destination touristique d'un bout de l'année à l'autre.

La popularité n'est pas toujours destructrice. La preuve : c'est aux Bahamas que l'on trouve l'eau la plus verte et les plages les plus blanches de toutes les Caraïbes.

Adresse : Compass Point. PO Box CB 13342 West Bay Street, Gambier, Nassau, Les Bahamas.

Téléphone : (242) 327 45 00 - **Fax** : (242) 327 23 98

Chambres : à partir de 215 $

Amandari

Du point de vue de l'architecture, l'Amandari est ce que Bali peut offrir de plus émouvant.

Contrairement à toutes les autres îles de l'archipel indonésien, Bali est restée fidèle à ses origines hindoues. Toute l'Indonésie – Sumatra, Java, Bornéo, Sulawesi et les quelque trois mille autres îles – était autrefois de religion hindoue. Celle-ci leur était venue (ainsi que le bouddhisme) du sud de l'Inde, à travers l'océan Indien, via les routes commerciales. Les artisanats balinais les plus représentatifs, comme le batik, dérivent de ceux de l'Inde voisine. Les premières relations commerciales établies par un Hollandais avec le Sud-Est asiatique consistèrent d'ailleurs à échanger des textiles achetés dans le sud de l'Inde contre des épices indonésiennes (ce qui était une excellente affaire).

Face à l'Indonésie qui, depuis des siècles, a majoritairement opté pour l'islam, détruisant temples, statues et lieux de pèlerinage hindous, Bali est donc une exception. À en croire la tradition locale, nombreuses seraient les populations du grand royaume de Majapahit qui se seraient réfugiées à Bali pour conserver leur foi lorsque Java fut envahi par l'Islam, au XIVe siècle. Mais si Bali a conservé son héritage hindou, c'est grâce à une constante vigilance. Ainsi, pour éviter tout affaiblissement de cette culture, sous le régime colonial hollandais, les religieux musulmans furent strictement interdits de séjour à Bali.

Sans le délicieux raffinement de cette foi, prépondérante à Bali, l'île ne serait pas le paradis qu'elle est aujourd'hui. La douceur de ses habitants, leur style de vie, leur façon de s'habiller, leurs relations avec leurs ancêtres, leur architecture, leur style décoratif, lui confèrent un charme unique. Des rituels ancestraux rythment toujours la vie des Balinais. La richesse de la tradition artistique et culturelle qui a survécu ici est sans égale en Indonésie. Les bénédictions, les mariages, les crémations pleines de couleurs… toutes ces cérémonies expriment une conception de la vie typiquement balinaise.

Malheureusement, la tradition architecturale de l'île, inspirée elle aussi de l'Inde du sud, est sérieusement menacée. Bali n'étant pas un désert économique, loin de là, mais un État moderne en expansion, lorsqu'il s'agit de construire des

Ces autels sont honorés chaque jour avec
fleurs et encens.

Les bâtiments de l'Amandari respectent
le plan d'un village balinais traditionnel.

Les toits typiques, très pentus,
sont entrecoupés d'ouvertures donnant
sur de petites cours.

À l'Amandari, toutes les chambres disposent d'une salle de bain située dans un pavillon extérieur.

Le caractère authentique de l'Amandari tient au paysage et à une architecture conforme à la tradition locale.

Une bannière jaune signale un couple en voyage de noces.

boutiques, des grands magasins ou autres bâtiments utilitaires, ses entrepreneurs choisissent le béton armé plutôt que le bois de coco ou les lanières de bambou.

Voilà ce qui fait de l'Amandari une réalisation exceptionnelle. Non seulement son architecte a utilisé un répertoire de formes et de matériaux vernaculaires, mais il est resté fidèle au plan d'un village balinais traditionnel. C'est cette authenticité qui en fait tout la séduction.

Loin de devoir se contenter d'une simple chambre, les voyageurs disposent d'une maison entière, située le long d'un étroit chemin pavé, comme cela se voit dans les villages du pays. Un décor de maçonnerie orne l'entrée de chaque villa et une bannière jaune signale celles qui sont occupées par un couple en voyage de noces. Construites en bois de teck et en pierre volcanique, les villas sont entourées d'une cour qui leur assure une parfaite intimité. Elles sont hautes, avec un plafond dont le faîte culmine à dix mètres et descend en pente raide vers les quatre coins, comme dans une tente. Les toits sont couverts de l'habituelle herbe *alang alang*, soutenue par un treillis en lanières de bambou reposant sur des colonnes en bois de cocotier. Architecture parfaitement adaptée à l'humidité tropicale puisque les hauts plafonds assurent une circulation d'air, tandis que les murs en pente protègent du soleil.

Perché au-dessus de la rivière Ayung, au centre de Bali, l'Amandari offre une vue paisible sur une campagne luxuriante, des rizières en terrasse et des volcans en activité. Au loin, à une quarantaine de kilomètres, on distingue l'océan Indien. En sanscrit, Amandari signifie : « le séjour des esprits pacifiques ». Délicieuse invitation à goûter la paisible hospitalité de Bali. Vous aurez l'impression d'être non plus un touriste, mais un voyageur. C'est tout dire.

Adresse : Amandari, Ubud, Bali, Indonésie
Téléphone : (62) 361 975 833 - **Fax** : (62) 361 975 335
Chambres : à partir de 525 $

Amankila

Pendant des années, j'avais rayé Bali de mes projets de voyage. L'île avait la réputation d'être la Costa Brava de l'Asie, une destination ensoleillée et bon marché pourAustraliens en voyage de groupe. À commencer par Kuta Beach, piste de cirque où s'ébattaient ivrognes tapageurs et engeance à la Bo Derek, avec tresses et perles dans les cheveux. Cette réputation n'est d'ailleurs pas totalement usurpée. Mais, Dieu merci, tous les fast-food, bars bon marché et toboggans de piscine géants sont concentrés sur une petite partie de l'île. Au-delà de Kuta Beach commence la vraie Bali, la Bali des petits villages, des rizières, des temples hindous et de la jungle. Bali étant toujours peu peuplée, il reste encore beaucoup de villages dépourvus de panneaux publicitaires et beaucoup de plages épargnées par les désastreuses constructions pseudo-tahitiennes.

Candi Dasa, sur la côte nord-est de l'île, en est un parfait exemple. C'est ici qu'Adrian Zecha, l'impresario du phénomène Aman, a créé une station balnéaire unique au monde. Perché sur une falaise, à des centaines de mètres au-dessus d'une plage isolée, l'Amankila surplombe le détroit de Lombok. Il est construit sur une série de plateaux creusés dans le flanc d'une colline terriblement pentue. Tout se trouvant à des niveaux différents, l'Amankila offre des points de vue soigneusement orchestrés, le plus spectaculaire embrassant les trois chutes d'eau qui bondissent le long de la falaise. Bien qu'elles fassent parties des cascades les plus photographiées du monde, elles n'en sont pas moins impressionnantes à voir.

Ces chutes d'eau sont, comme tout le reste à l'Amankila, un pur enchantement visuel. Qu'il s'agisse des restaurants, du bar, du club de la Plage, des *bales* individuels (couverts de chaume et plantés autour de la plage et du bassin, ils vous procurent ombrage et isolement), chaque détail, chaque forme, chaque texture résulte d'une réflexion minutieuse de l'architecte d'Aman, Ed Tuttle.

L'Amankila n'a vraiment rien d'un hôtel conventionnel. Pour commencer, il n'y a pas de chambres. Chacun, ou chaque couple, dispose de son propre bungalow situé à l'un des niveaux, lequel communique avec tous les autres niveaux

par un réseau d'escaliers en pierre qui serpentent à travers la propriété. De la terrasse du salon comme de l'énorme lit-sofa, chaque bungalow offre une vue panoramique sur les eaux vert émeraude de Bali.

Mais tout ce qu'on pourra décrire ne donnera qu'une faible idée du charme de l'Amankila. Est-il dû à l'impression que vous disposez de tout pour vous tout seul ? Ou au raffinement des flacons d'huile pour le bain ? Ou encore aux placards si vastes qu'on y logerait la garde-robe d'Elton John ? Quant au service, il est, bien sûr, légendaire, conformément à la règle d'Aman…

Et puis il y a les installations. Soixante-dix personnes au maximum se partagent quatre bassins (les trois cascades spectaculaires et une belle piscine de quarante-cinq mètres de long, près du club de la Plage), trois restaurants (deux avec vue et un près de la piscine), un bar, une bibliothèque et une plage regorgeant de tout ce qui permet de s'amuser sur l'eau, du catamaran à la planche à voile.

La table participe elle aussi de la même qualité. Le chef de l'Amankila a travaillé au Level 41, l'un des meilleurs restaurants de Sydney (ce qui n'est pas une mince recommandation). La carte marie les saveurs asiatiques et continentales, mais les spécialités indonésiennes sont évidemment les plus intéressantes. Je dois avouer que je suis d'abord resté sceptique devant ces plats indonésiens version nouvelle cuisine : la petite pyramide de riz au safran et les quelques morceaux de poulet grillé, artistiquement embrochés, paraissaient davantage apprêtés pour séduire l'œil que le palais. Pourtant, le fait est là : les nombreux habitués de Bali assurent que c'est à l'Amankila qu'on trouve la meilleure cuisine indonésienne. Et ils n'ont pas tort.

Adresse : Amankila, Manggis, Bali, Indonésie
Téléphone : (62) 363 41 333 - **Fax** : (62) 363 41 555
Chambres : à partir de 525 $

Waka di Ume

Waka di Ume est considéré par les initiés comme l'endroit le plus branché d'Ubud. Situé à Bali, au pied de la chaîne montagneuse centrale, Ubud est le cœur de la vie artistique et spirituelle de l'île. Les traditions hindoues y sont restées intactes. Ici, les gens travaillent encore dans les rizières et on y est peu touché par le tourisme, même si on y croise tout de même quelques boutiques de souvenirs.

Qu'Ubud attire les artistes ne date pas d'hier. Bien avant que le premier Occidental n'y mette le pied, dans les années trente, Ubud était déjà un centre artistique important. Alors que certains villages étaient réputés pour leur artisanat – Batubulan, pour ses sculptures sur pierre, Mas pour ses sculptures sur bois, Celuk pour ses bijoux d'or et d'argent, Peliatan pour ses instruments de musique – Ubud était connu pour ses artistes. De là sans doute son atmosphère décontractée. Qui doit aussi beaucoup au climat, moins extrême que sur la côte. Quoi qu'il en soit, on se sent merveilleusement bien à Ubud, et Waka di Ume est parfaitement emblématique de cette atmosphère si particulière.

Conçu et dirigé par ses propriétaires, le jeune architecte balinais Ketut Siandana et ses deux frères, Waka di Ume est un étonnant ensemble de maisonnettes disposées le long d'une mince bande de terre qui surplombe des rizières et que domine un volcan endormi. De quoi satisfaire tous les désirs d'exotisme !

Le Waka a d'emblée bénéficié d'une conception originale. Sa réussite tient au mariage des traditions balinaises et d'une véritable modernité architecturale. Des exemples ? Les toits sont couverts d'*alang alang*, herbe odorante, mais les sols sont dallés de béton poli. Le mobilier est tantôt en bambou, tantôt en acier. Et, dans les salles de bains, la pierre indigène voisine avec de vastes surfaces vitrées donnant sur les rizières en terrasse. L'atmosphère est parfaitement balinaise, détendue et sans artifice. Siandana a compris que si Bali ne devait rien abandonner de sa magie, elle devait aussi se tourner vers l'avenir.

Ce sens du design se retrouve partout dans l'hôtel. Le restaurant, sur deux niveaux, propose, en bas, un espace de type occidental, avec tables

Le personnel du Waka di Ume porte
le sarong traditionnel.

Les pans de mousseline des moustiquaires
tombent à la verticale, sans s'affaisser
sur votre figure.

Du restaurant, on découvre le spectacle
des rizières en terrasse.

Waka di Ume est une affaire de famille :
ces moustiquaires sont l'œuvre
de la sœur de l'architecte.

Une esthétique contemporaine côtoie
les formes balinaises consacrées.

Cette nature morte balinaise très originale
décore l'entrée d'un long passage.

et chaises, tandis qu'à l'étage, la salle rappelle les *long houses* des tribus du Pacifique : on s'assoit sur des coussins posés à même le sol et le repas (balinais) est servi sur des tables basses. À l'autre extrémité de cette propriété tout en longueur, est installé un centre de massage, élégante construction avec des échappées spectaculaires sur les rizières. L'espace intérieur, vaste et ouvert, est surmonté d'un loft dévolu à la méditation, qui donne sur une fabuleuse cascade. Quant aux seize bungalows, ils sont répartis tout autour de la surface occupée par le restaurant, le centre de massage et les bassins, et reliés par des chemins dallés. Des carillons éoliens sont suspendus à l'angle des maisons et des statues de dieux hindous jalonnent les cours et les allées.

Comme nombre de nos hôtels préférés, Waka di Ume est une affaire de famille. Ketut en a été l'architecte, l'un de ses frères s'occupe du marketing, l'autre est chargé de l'aspect financier, et c'est leur sœur qui fabrique toutes les moustiquaires incroyablement sophistiquées qui entourent des lits aux formes magnifiques. Les Siandana possèdent également les luxueux hôtels Oberoi de Bali et de Lombok.

Avec cette famille dynamique, un nouveau tourisme est né, qui prend davantage en considération l'environnement et la culture. C'est ainsi qu'en plus de la direction de l'hôtel, de l'organisation de randonnées en quatre-quatre dans les montagnes et de l'entretien d'une série de grands catamarans pour des virées en mer, elle a mis quelques autres hôtels Waka en chantier. Mais que font donc les trois frères lorsqu'ils ont un moment de libre ? Ils ont tous les trois la passion des motos de collection. Des Hindous sur des Harleys… symbole parfait pour le Waka.

Adresse : Waka di Ume Resort, Jalan Sueta, Ubud, Bali, Indonésie

Téléphone : (62) 361 973 178 - **Fax** (62) 361 973 179

Chambres : à partir de 115 $

Blancaneaux Lodge

Quiconque a vu *Heart of Darkness*, fascinant documentaire sur le combat mené par Francis Ford Coppola contre tout ce qui s'opposa à la réalisation du film *Apocalypse Now*, sera stupéfait de constater qu'il ait pu envisager de remettre le pied dans une quelconque jungle. Il faut croire que la forêt tropicale humide du Belize était assez séduisante pour susciter la naissance de Blancaneaux Lodge, refuge pour Coppola et sa famille.

Seul pays anglophone d'Amérique centrale, le Belize est resté une colonie britannique jusqu'en 1981, et ses 200 000 habitants considèrent toujours la reine d'Angleterre comme leur monarque. Il possède le second plus grand récif de corail du monde et sa jungle cache de spectaculaires ruines mayas.

C'est un endroit inattendu, presque loufoque, mystérieux et exotique, qui convient à merveille à l'auteur d'un film aussi complexe et surréaliste - et vice versa - qu'*Apocalyse Now*. Lorsqu'en 1982, Coppola lut que le Belize venait d'obtenir son indépendance, il s'envola sur-le-champ pour proposer aux autorités ce qu'il considérait comme une occasion unique : faire de ce nouveau pays un important centre de télécommunications. Mais les ministres du Belize ne l'entendirent pas de cette oreille et abandonnèrent notre metteur en scène... à son temps libre. Comme dans le scénario d'un de ses films, c'est sur les conseils d'un barman qu'il partit en excursion dans la forêt et tomba, par hasard, sur une maison inhabitée. Trouvant l'endroit idéal pour écrire, il l'acheta. Fin du premier épisode.

Un coin de jungle haut perché dans la montagne, bordé par une rivière cristalline avec une chute d'eau... que demander de plus idyllique ? Mais, au paradis, le moindre détail matériel exige des prouesses d'organisation. Quand la famille Coppola voulait se transporter au Belize, elle devait se livrer à des préparatifs dignes d'une campagne militaire : provisions, chargement du générateur, vérification préalable de l'état de la route... Il devenait indispensable de passer à l'étape suivante : investir dans des infrastructures et convertir Blancaneaux Lodge en un petit hôtel, luxueux, certes, mais respectueux de l'environnement.

C'est là que l'architecte mexicain Manuel Mestre entre en scène. Coppola admirait ses réalisations pleines de sensibilité artistique et, étant ce qu'il est, n'envisageait, pour ce projet-là, aucun compromis intellectuel, pratique ou, comme on allait s'en apercevoir, financier. Le résultat fut à la hauteur, très inventif et… très coûteux. De l'avis de tous, Coppola est un homme poussé par ses idées, et habitué à obtenir ce qu'il veut, envers et contre tout. Faisant fi de tous les conseils, il décida de créer une installation hydroélectrique. 400 000 tonnes de sable furent nécessaires. Mais, désormais, c'est la scintillante rivière Privassion qui procure l'électricité vingt-quatre heures sur vingt-quatre, et pas qu'un peu ! Assis devant l'écran de son PC portable, Coppola en éprouve encore un frisson d'excitation.

Autres luxes dans ce refuge tropical de montagne : un vrai four à bois italien pour pizzas et une installation à expresso incluant un torréfacteur. Et comme une pizza qui se respecte ne peut pas se faire sans légumes frais, on cultive un potager. Si les cerfs profitèrent de la première récolte, une nouvelle barrière, plus solide, permet maintenant d'avoir tous les légumes sous la main.

Quoi qu'il en soit, la vraie vedette reste le décor. L'eau de la rivière est assez claire pour qu'on ait envie de la boire, le climat chaud et humide est tempéré par l'altitude, et on ignore les moustiques presque toute l'année. En prime, les spectaculaires ruines mayas de Caracol ne sont qu'à quatre-ving-dix minutes de là. En un mot, Blancaneaux est beau, très beau. Vous y profitez en toute simplicité des fruits de l'imagination débordante et audacieuse de Coppola, de la qualité de ses vins et de sa table, de son style de vie, sans dépenser aucune énergie (on ne parle pas d'argent évidemment). Coppola adore cette blague : « Comment faire une petite fortune au Belize ? » Réponse : « En y apportant une grosse. »

Adresse : Blancaneaux Lodge, Central Farm, PO Box B, Cayo District, Belize
Téléphone : (501) 92 3878 - **Fax** : (501) 92 3919
Chambres : à partir de 115 $

Hôtel Explora

« Jouir de l'éloignement », telle est la devise d'Explora qui se propose de vous faire découvrir des territoires auxquels seuls les randonneurs les plus entraînés avaient jusque-là accès. L'hôtel se trouve dans les étendues désertiques de la Patagonie chilienne, peuplées de pingouins et de lamas, couvertes de fjords, de glaciers, d'icebergs, de lacs aux eaux turquoise et de pics déchiquetés. Perché au-dessus d'une chute d'eau du Rio Paine, l'hôtel occupe une situation spectaculaire dans un parc national de près de mille kilomètres carrés, le Torres del Paine (*paine* signifiant « glacier bleu » dans la langue indienne locale).

Pour l'atteindre, il faut prendre l'avion à Santiago, capitale du Chili, pour Punta Arenas, dans le détroit de Magellan, la ville la plus australe du globe. Cet éloignement a inspiré à Bruce Chatwin son célèbre livre, *En Patagonie*. « La Guerre froide a éveillé en moi la passion de la géographie… Dans les années quarante, le cannibale du Kremlin faisait peser sa menace sur nos vies… mais nous espérions survivre à la déflagration. Nous avions créé un comité d'émigration et projeté de nous installer dans un coin reculé de la Terre. Comme la guerre devait survenir dans l'hémisphère nord, nous avions […] décidé que la Patagonie était le coin le plus sûr de la Terre… un endroit où vivre quand le reste du monde aurait sauté. »

Samarkand, Tombouctou, la Patagonie… rares sont les lieux qui peuvent encore satisfaire nos rêves d'aventure. Bâti pour résister aux vents féroces de Patagonie, Explora a été conçu par Pedro Ibanez, un Chilien multimillionnaire, passionnément convaincu que les citadins doivent faire connaissance avec les merveilles de la nature.

Les autorités chiliennes veillant jalousement sur leur extraordinaire patrimoine naturel, la première étape, avant de se lancer dans une quelconque construction, consista à remporter un concours du National Forest Service. Ibanez gagna donc le concours et établit le programme complet de cette nouvelle structure hôtelière de trente chambres, plantée au milieu d'étendues vierges.

Résolument opposé au tourisme de masse, Explora incarne ce que les médias américains appellent l'« éco-luxe ». À un profond respect de l'environnement naturel s'ajoute une sympathie

Le décor spectaculaire d'Explora s'encadre dans la fenêtre d'une salle de bains.

Seuls les lamas sont équipés pour affronter les pics de Patagonie, désolés et solitaires.

Explora est perché au-dessus du Rio Paine, au cœur du parc national.

Explora a pour mission d'encourager
les excursions dans le désert chilien.

À l'intérieur, une douce chaleur
contrebalance les « sorties par tous
les temps ».

L'architecture d'Explora est extrêmement
contrastée : pure modernité opposée
à nature sauvage.

active envers la population locale et sa culture. Tous les détails sont étudiés de manière à réduire au maximum l'impact sur l'environnement (les groupes d'excursionnistes, par exemple, sont limités à huit personnes) et à intégrer l'architecture au paysage comme à la culture de la région.

Dans un endroit aussi reculé que la Patagonie, il n'y a pas de solution de rechange : dès l'instant où votre avion a atterri à Punta Arenas, vous devenez captif. Par conséquent, l'hôtel est un point capital du voyage.

Explora n'a rien négligé. Ses trente chambres ont une vue magnifique, l'eau du bassin couvert situé à côté de la rivière atteint des températures tropicales, la nourriture arrive par avion de Santiago, des saunas attendent les excursionnistes pour une remise en forme. Il y a même un petit salon où l'on peut se relaxer devant le feu, dans des fauteuils en cuir, en sirotant un *Pisco Sours* (réconfort que j'estime avoir bien mérité après mon escalade du glacier Valle del Frances !).

Chaque jour, quel que soit le temps, vous avez le choix entre cinq excursions parmi toutes celles que l'hôtel a mises au point et classées selon leur difficulté. Accompagnés de guides hautement qualifiés, vous ferez de l'escalade, une promenade, une randonnée sur glacier, du VTT, du cheval, du kayak, à moins que vous ne préfériez observer les oiseaux. Explora tient à souligner qu'il n'est pas un « hôtel de sport » où l'on marche à l'adrénaline et à la compétition. Néanmoins, on ne vous permettra pas d'invoquer les rigueurs météorologiques pour rester enfermé. Dans la philosophie d'Explora, une tempête de neige peut être aussi délicieuse qu'une journée ensoleillée. C'est indéniable, même si quelques-uns d'entre nous ont besoin d'un léger coup de pouce pour le vérifier par eux-mêmes !

Adresse : Gochile, Suecia 84, suite 82, Santiago, Chili
Téléphone : (56) 2 251 26 25 - **Fax** : (56) 2 251 5882
Chambres : à partir de 347 $

Vatulele

Vatulele, qui signifie « rocher sonore » en fidjien, est la petite île du Pacifique sur laquelle Henry Crawford et Martin Livingston ont jeté leur dévolu pour réaliser à leur idée un refuge contemporain tout imprégné de culture polynésienne. Située un peu au sud de l'île principale des Fidji, Vatulele n'a qu'un seul village. Ses habitants, pêcheurs et fermiers, pourvoient tout juste à leur propre subsistance. Ils fabriquent cependant le fameux *tapa*, tissu à base d'écorce de mûrier. Et la vie est là-bas toujours la même, comme avant l'arrivée de l'homme blanc. Crawford, producteur, lauréat australien du prix Emmy, et Livingston, Européen fidjien de la cinquième génération, étaient bien déterminés à la préserver.

Les dix-huit cabines – ou *bures* – de leur station balnéaire ont été construites sur une terre louée à des propriétaires locaux, et conçues de façon à créer un impact minimal sur la configuration de l'île. Tous les matériaux – sable, bois, poteaux de construction, ciment – ont été importés du continent, soigneusement déchargés et déposés à la main. Pas une seule grue n'a touché les rives du « rocher sonore ». Pour défricher le site, cent hommes ont travaillé pendant trois mois, armés de seuls couteaux. En prenant particulièrement soin de préserver les palmiers qui bordent la lagune.

Aujourd'hui, ces palmiers procurent de l'ombre aux *bures* que l'on a construits entre eux. Vatulele est réellement une « île faite pour se mettre les doigts de pied dans le sable », comme l'a décrite un journaliste, sans téléphone, fax, voitures, routes pavées, fils électriques, bruit ou agitation. L'architecture de la station procure une impression de voluptueuse détente. L'intention de Crawford et de Livingston était de créer une entité combinant tout ce que la culture du Pacifique avait de meilleur. Et pour cela – aussi invraisemblable que cela paraisse –, ils s'étaient adressés à Doug Nelson, architecte américain. Installé à Santa Fe, Nelson était connu pour avoir brillamment intégré le style indigène du Nouveau Mexique à l'architecture et au design contemporains. Étant donné les grandes similitudes qui existent entre les cultures polynésienne et amérindienne, ce n'était pas un choix si farfelu, après tout.

Ce sont les toits qui, à Vatulele, frappent le plus. Ils permettent à la chaleur montante de s'échapper par la texture lâche du chaume et entretiennent la fraîcheur dans les *bures*, sans recours à l'air conditionné. Liés par des cordes tissées, teintées de rose et de vert selon la coutume polynésienne, ce sont de merveilleux ouvrages inspirés des méthodes anciennes de construction.

Mais ces plafonds superbes ne donnent qu'un avant-goût de cette réussite architecturale. Le *bure* principal est décoré d'armes traditionnelles, tandis que des pièces de tapa, fabriquées par les villageois, sont suspendues sur les murs de tous les bungalows. Emprunté à un modèle typique de tapa, un dessin revient comme un leitmotiv dans le carrelage du sol et dans d'autres éléments décoratifs. Malgré les limites fixées initialement,

on ne vit pas « à la dure » à Vatulele. Plus proche de la villa que de la cabane, les *bures* offrent des espaces séparés pour vivre et pour dormir. Et les salles de bains sont franchement somptueuses. Grâce à l'effort qui avait été fait pour préserver les palmiers, les *bures* sont isolés les uns des autres par cette végétation tropicale.

Les visiteurs sont invités à explorer l'île, ses forêts, ses chutes d'eau, ses falaises et ses grottes, tandis que ceux qui préfèrent passer leur temps dans leur *bure* se trouvent plongés en pleine tradition fidjienne. Cette authenticité a malheureusement son revers. À ce jour, les ravissants toits des bures ont déjà subi les ouragans par deux fois, et il a fallu une énorme main-d'œuvre pour les refaire avec exactitude. Vatulele est une œuvre pionnière dans l'aménagement du Pacifique : tout est ici à la fois exceptionnel et en complète harmonie avec l'environnement.

Adresse : Vatulele, Worldwide Reservation Office, 1, Greville Street, Clovelly, Sydney, NSW 2031

Téléphone : (61) 2 9665 8700 - **Fax** : (61) 2 9665 7833

Chambres : à partir de 1 078 $

La Bastide de Moustiers

Située dans les spectaculaires gorges du Verdon, la Bastide de Moustiers voit son charme rehaussé par la beauté sauvage du paysage. Canyons, ravins, lacs, falaises, grottes… c'est une région idéale pour les sports d'été. À moins d'une heure et demie de voiture d'Aix-en-Provence, ce coin du sud de la France a encore l'air absolument intact.

L'endroit constitue une parfaite toile de fond pour la nouvelle entreprise d'Alain Ducasse. Connu pour le Louis XV, son restaurant de Monte-Carlo (trois-étoiles au *Michelin*), il a toujours soutenu qu'il fallait donner la priorité aux ingrédients. Mais en prenant de l'importance, son restaurant de Monaco avait peut-être un peu étouffé le message. En faisant l'acquisition d'une vieille bastide, grande ferme délabrée de Haute-Provence, Ducasse a créé un établissement où il peut donner libre cours à sa passion des produits frais. Contrairement à la plupart des hôtels aux tables réputées, la Bastide de Moustiers n'a rien de grandiose. Le but du jeu, pour les clients, est d'assister à la transformation de fruits et de légumes fraîchement cueillis en plats incroyablement délectables. La cuisine principale, le laboratoire réservé à la pâtisserie et le potager occupent le devant de la scène. Des caisses de tomates, d'aubergines, de courgettes, de melons, de figues et de haricots verts jonchent les couloirs, s'empilent dans l'escalier et s'étalent au petit bonheur autour de l'entrée principale. La nourriture et sa préparation, voilà le cœur de l'affaire.

Un séjour à la Bastide de Moustiers est à la hauteur des passages les plus voluptueux et les plus attachants du livre de Peter Mayle, *Une année en Provence*. La beauté sauvage de la nature, le charme de la pierre légèrement décrépite des fermes et l'authenticité des vieux villages endormis forment la double toile de fond de la prose de Mayle et de la cuisine de Ducasse. Judicieusement, l'hébergement ne s'est pas trop écarté de la tradition rurale. Les intérieurs sont clairs, colorés et terriblement « français ». Le décor des chambres adopte le même credo que celui de la table : agréable, élégant, mais sans ostentation. Jolis tissus fleuris, placards blanchis à la chaux, carrelage de terre cuite, stores en lin, ainsi que quelques meubles

Adossée aux parois rocheuses
de Haute-Provence, la Bastide offre
un panorama spectaculaire.

En été, on ne laisse sur les tables
de la salle à manger que quelques fruits
frais, joliment disposés.

Typiquement provençales, les chambres
combinent simplicité rustique et touches
de grand style.

« L'ingrédient est roi », telle est la devise
du chef, la superstar Alain Ducasse.

Une vieille grille en fer forgé mène de la
terrasse principale aux jardins paysagers.

Autre plat typique : une tarte aux tomates
fraîches sur un lit de basilic.

Les salles de bains tranchent sur la rusticité
de cette ferme provençale.

Ce fauteuil Louis XV doré est une allusion au
fameux restaurant le Louis XV
de Ducasse, à Monte-Carlo.

Les champs de fleurs sauvages rappellent
qu'une bastide est avant tout une ferme.

La Bastide de Moustiers – littéralement :
« la ferme du village de Moustiers ».

Tarte aux figues fraîches, spécialité
provençale réalisée à la Bastide.

La salle à manger est un endroit agréable
et confortable qui ne sert qu'en hiver.

On rencontre un peu partout,
dans la maison, des caisses de produits frais
livrés chaque jour.

Les chambres portent toutes un nom de fleur
ou d'herbe de la région.

Presque toute l'année, dès que le temps
le permet, les repas sont servis dehors,
sur la terrasse.

Blanches, immaculées et inondées
de lumière, les salles de bains sont aussi
fraîches que légères.

Une caisse de tomates fraîchement cueillies
dans le potager décore la maison.

Les couleurs de la Provence de Van Gogh
sont aussi celles de la Bastide de Moustiers.

provençaux anciens confortent l'atmosphère générale d'authenticité et de détente.

En dehors des plaisirs gastronomiques, diverses activités sont proposées : alpinisme, équitation, deltaplane, VTT et kayak. Les moins aventureux se contentent de marcher jusqu'au village, de se balader dans les marchés, de s'asseoir à une terrasse pour prendre un café ou de faire une partie de boules. Le village de Moustiers-Sainte-Marie a fort heureusement échappé à l'assaut des banques et des boutiques.

Ce qui, à la Bastide de Moustiers, amuse beaucoup les étrangers est qu'ils ont l'impression de s'initier aux traditions et aux savoir-faire de la Provence, à son architecture (les fermes de pierre), à son paysage et, bien sûr, aux secrets de sa cuisine. Ducasse parvient à concilier élégamment son respect du passé et de la nature avec les exigences de l'équipement hôtelier. Il y a bien une piscine, mais, tout en offrant une vue extraordinaire sur la vallée, elle est parfaitement dissimulée dans le paysage.

Comme dans toutes les maisons de belle renommée, il n'y a pas de menu : c'est le chef qui décide du plat du jour. Et qui fait preuve, ici, d'invention et d'originalité. Les grands classiques français sont réinventés avec beaucoup d'imagination. Le mille-feuille – couches alternées de bacon croustillant et de purée de citrouille – est l'une de ces créations exemplaires. Chaque repas est ainsi une succession de plats inédits et de découvertes pour les convives. L'hôtel, ouvert depuis le printemps 1995, a déjà fait grand bruit sur la scène internationale. Les plus importants magazines de mode, de tourisme et de design se disputent le sujet. Si bien que, ô ironie, malgré ses efforts de simplicité, Ducasse ne peut empêcher qu'à l'heure du déjeuner, atterrisse chez lui un hélicoptère rempli de toute la *jet-society* azuréenne.

Adresse : La Bastide de Moustiers, chemin de Quinson, 04360 Moustiers-Sainte-Marie, France

Téléphone : (33) (0)4 92 70 47 47 - **Fax** : (33) (0)4 92 70 47 48

Chambres : à partir de 145 €

La Mirande

Dans son article sur la Mirande, le *Figaro* prédisait que cet hôtel particulier d'Avignon allait devenir « un lieu de pèlerinage pour hommes et femmes de goût. » Il n'est pas difficile de comprendre pourquoi : on ne peut qu'être impressionné par les souvenirs que cet hôtel ressuscite et l'on aurait du mal à trouver plus belle et plus complète illustration de plusieurs siècles d'arts décoratifs français.

La Mirande occupe une élégante demeure située juste en face du palais des Papes – siège de cinq papes successifs au XIVᵉ siècle, lorsque l'Église catholique romaine était dirigée depuis Avignon. La maison, qui date du XVᵉ, a été bâtie sur les ruines calcinées du palais d'un cardinal, détruit par un incendie en 1411. À l'intérieur, on découvre une combinaison abondante et suprêmement élégante de tous les styles : une salle à manger Renaissance avec plafond à caissons, une bibliothèque rococo Louis XV avec des panneaux peints de chinoiseries, un salon de style Belle Époque-Rotschild, une petite salle à manger d'hiver néoclassique… À cela s'ajoute une impressionnante façade

baroque. La Mirande offre une superposition de richesses qui témoignent de siècles de goût et de culture ; quelque chose comme un catalogue de l'histoire stylistique et décorative française.

Vous seriez donc en droit de supposer qu'il s'agit là d'un héritage accumulé au cours des âges. Or, ce qu'il y a de surprenant, c'est qu'en réalité tout ceci a été créé pratiquement à partir de rien. Il est vrai que cette magnifique demeure a appartenu pendant plus de deux cents ans à la famille Pamard, une des plus vieilles et des plus prestigieuses d'Avignon. Mais, hélas, elle est loin d'avoir contribué à l'embellir. Quand Achim et Hannelore Stein l'ont acquise, en 1987, ils n'y ont trouvé qu'un sinistre arrangement de gothique du XIXᵉ siècle qui avait valu à la maison la réputation d'être « la plus sombre de tout Avignon ». Tous deux passionnés d'art et d'antiquités, ils ont alors fait le pari de lui redonner la splendeur qu'elle aurait dû avoir en d'autres circonstances. Si le projet pouvait sembler quelque peu ambitieux, pour Achim Stein, ingénieur civil à la retraite qui avait terminé sa carrière en dirigeant la construction de l'aéroport de Djedda, en Arabie saoudite, c'était exactement le genre de défi que sa femme et lui désiraient relever.

Travaillant avec le décorateur parisien François-Joseph Graf, les Stein ont conçu un projet fondé sur l'hypothèse que Pierre Mignard – fils du célèbre peintre de cour Nicolas Mignard – qui, à la fin du XVIIe siècle, avait conçu la façade baroque de la maison, aurait poursuivi son œuvre à l'intérieur. Puis ils ont tenu compte de tous les changements et améliorations que, selon les modes successives, une famille riche y aurait apportés pendant plusieurs générations. Selon Martin Stein, le fils, aujourd'hui directeur de l'entreprise La Mirande (qui compte aussi une école de cuisine), l'objectif était de créer l'illusion que tout avait toujours été tel.

Le résultat est convaincant : on a l'impression de se trouver au milieu de l'héritage bien conservé de trois cents ans de vie raffinée. Dans la pratique, il n'en a pas fallu trois cents pour parvenir à cette illusion, mais tout de même deux, ainsi que onze millions de dollars et un soin extraordinaire apporté au moindre détail. Aucun effort, aucune dépense n'ont été épargnés. Tous les rideaux de l'hôtel sont doublés de soie ; les vitres des fenêtres ont été soufflées de façon artisanale ; on a froissé les papiers peints avant de les coller pour leur donner texture et patine ; la rampe de l'escalier a été copiée sur celle du château voisin de Barbentane. Toutes les chambres sont différentes et meublées d'objets anciens. Les plafonds Renaissance ont été restaurés et, à chaque fois que cela a été possible, on a employé des matériaux de récupération (pierre, bois, carrelage) plutôt que du neuf.

Le résultat ? Un voyage extraordinaire et raffiné à travers les plus beaux chapitres de l'histoire des arts décoratifs français, dans la ville historique d'Avignon.

Adresse : La Mirande, 4, place de la Mirande, 84000 Avignon, France
Téléphone : (33) (0)4 90 85 93 93 - **Fax** : (33) (0)4 90 86 26 85
Chambres : à partir de 260 €

Le Mas de Peint

S'il est un équivalent français du « Marlboro Country », le voilà. Le Mas de Peint est une ancienne manade camarguaise, située au sud d'Arles, terre d'accueil des taureaux noirs, des chevaux blancs et des Tsiganes.
La Camargue est unique : pas de châteaux – rien que de simples ranchs blanchis à la chaux ; et pas d'héritage aristocratique – propriétaires et garçons de ferme travaillent côte à côte.
On y joue du flamenco (les Gypsy Kings viennent de Camargue) ; on y donne des courses de taureaux au cours desquelles d'agiles razeteurs essayent d'arracher un ruban aux cornes du taureau (et de quitter l'arène avant de se faire embrocher). Hommes et femmes y portent fièrement les tissus, imprimés sur bois, fabriqués par des compagnies telles que Souleïado.
Les Américains y retrouveront un style de vie plus proche de celui du Nouveau Mexique, ou des *estancias* d'Argentine, que de l'impeccable raffinement du nord de la France.

Jacques Bon, propriétaire du Mas de Peint, né en Camargue, tient beaucoup à ses racines « cow-boy ». Il prend toujours part aux rassemblements de chevaux ou de bétail, passe souvent le plus clair de sa journée sur son cheval (blanc, bien sûr), et ne porte que le costume du gardian : chemise à motifs cachemire, pantalons en moleskine et bottes de cheval. Avec sa femme Lucille, architecte, il a décidé, il y a une dizaine d'années, de convertir une partie de son ranch en un petit hôtel de luxe. Mais il n'a pas pour autant abandonné ses bêtes : cinquante chevaux blancs et trois cents taureaux noirs.

Jacques et Lucille Bon savaient dès le début ce qu'ils voulaient. Et, tout d'abord, conserver la rudesse si caractéristique de la Camargue. Les clients ne seraient ni choyés ni bichonnés, « oui monsieur, non monsieur », comme dans un cinq-étoiles. Ils seraient comme des amis venus les aider à rassembler les chevaux. Ils mangeraient dans la cuisine, passeraient la journée à cheval et s'écrouleraient le soir dans une chambre jolie mais pas outrageusement pomponnée. Rien de fastueux, rien de tapageur, mais la douce sensation d'une hospitalité vraie, d'une bonne cuisine et de la vie au grand air.

Le Mas de Peint est tout à fait conforme à

Le fameux cheval blanc de Camargue
est gris à la naissance. Il devient blanc
en grandissant.

La décoration témoigne de la préférence
de l'architecte pour les tons neutres
et les tissus naturels.

Le riz sauvage exposé sur une table
de la réception est une variété hybride
qui pousse dans la propriété.

Le Mas de Peint est un mas typique,
une ferme en pierre transformée
en un petit hôtel de luxe.

Du linge blanc brodé et des lits en cuivre :
un style « fermier » légèrement réinterprété.

L'intérieur de l'hôtel reflète cette culture
« ranch » version camarguaise.

cette ambition. Tout le monde mange ensemble dans la cuisine, les chambres sont grandes mais peu meublées, et on encourage les clients à venir à cheval aider à rassembler les troupeaux.

Tous les soirs, vers dix heures, les Bon se livrent à un rituel qu'ils ne manqueraient pour rien au monde. Ils sortent de leurs appartements privés pour venir saluer leurs hôtes et bavarder avec eux dans la cuisine. La première fois que j'ai assisté à ce rituel, Jacques Bon est apparu, comme une star de rodéo, en pantalons de moleskine avec une rayure rouge sur le côté et en chemise de soie rouge à motif cachemire, n'hésitant pas à vous taper dans le dos, à sortir des blagues et à travailler la salle comme un politicien. Avec sa moustache en crocs et ses pittoresques fringues, c'est un personnage, ce Jacques Bon. Dans leurs articles, les magazines l'ont qualifié de « Jack Palance de la Camargue ». Lui et Lucille sont des hôtes parfaits pour aborder cette région. Il apporte le parfum de pittoresque et de couleur locale qui, conjugué à la touche de raffinement donnée par son épouse, rendent le séjour au Mas de Peint si plaisant. Car, malgré l'insistance que met Jacques Bon à dire qu'il ne veut pas bichonner ses clients, le Mas de Peint est nettement plus luxueux que la moyenne des ranchs de Camargue. Les chambres sont grandes, la literie immaculée (et brodée à la marque du ranch) et les salles de bains sont d'une taille et d'une conception dignes des hôtels citadins les plus raffinés. Une grande piscine avec une terrasse carrelée se cache dans un des paddocks, et une vaste écurie a été transformée en salle de fête.

Contrairement à d'autres parties de l'Europe, la Camargue n'a pas été aseptisée et uniformisée par le tourisme. Ici, les gens se cramponnent férocement à leur style de vie. Où pourrait-on rencontrer ailleurs un personnage comme Jacques Bon ?

Adresse : Hôtel Le Mas de Peint, Le Sambuc, Arles, France
Téléphone : (33) (0)4 90 97 20 62 - **Fax** : (33) (0)4 90 97 22 20
Chambres : à partir de 197 €

Les Fermes de Marie

Avec leurs poutres de bois burinées par les intempéries, leurs sols carrelés de terre cuite, leurs murs lambrissés, leurs poteries rustiques, leurs tissus de vichy rouge, leurs peintures naïves, leurs chaises en bois toutes simples et leurs feux ronflants, les Fermes de Marie, construites au cœur du très élégant village de Megève, en Haute-Savoie, incarnent toutes les idées et les images romantiques d'un chalet dans la neige.

C'est un parfait exemple du style traditionnel de Haute-Savoie – l'équivalent français du Tyrol (le jodel et la culotte de cuir en moins). Comme en Autriche, avec leurs toits pointus, leurs petites fenêtres et leurs balcons sculptés, les maisons ont l'air d'être en pain d'épice, les gens sont joviaux, la nourriture, riche et consistante. Impossible de résister au charme savoyard !

Jean-Louis et Jocelyne Sibuet, qui ont ouvert les Fermes de Marie en 1989, sont de vrais Savoyards, nés dans ces montagnes, et leur œuvre est en grande partie le prolongement de leur propre style de vie. Ce qui ne signifie pas que l'entreprise ait été aisée. Difficile d'imaginer que cet hôtel accompli, avec piscine intérieure,

trois restaurants, un centre de remise en forme, un institut de beauté, une salle de jeux, un garage pour cinquante voitures, et plus encore, n'était, il y a seulement dix ans, qu'un ensemble d'étables abandonnées, de greniers à foin et de refuges de montagne ! Les Sibuet en avaient fait l'acquisition en Haute-Savoie et aux alentours et entendaient bien donner une nouvelle vie à ce ramassis de vieux bois, en en faisant le cœur architectural d'un authentique hôtel savoyard.

Il y avait quelque ironie à choisir Megève, la plus chichiteuse des stations de ski françaises, l'un des villages les plus aristocratiques de France, pour y construire leur complexe fermier. Aujourd'hui, personne ici ne s'en plaint. Megève, qui occupait autrefois le premier rang des stations de ski françaises, avait perdu son statut au cours des trente dernières années et passait pour vieillotte et peu sportive. Elle avait été supplantée par ses voisines, les Trois-Vallées ou Tignes-Val d'Isère. Les Fermes de Marie ont insufflé à Megève le renouveau dont elle avait terriblement besoin. Du coup, les gens

des médias, les musiciens et les hommes d'affaires sont revenus.

On s'en doute, le succès ne tient pas uniquement à l'authenticité et au charme du vieux bois. Les Sibuet ont réussi cet équilibre de plus en plus recherché entre esthétique, luxe et service irréprochable. Le plus exigeant des hédonistes ne pourrait rien trouver à redire aux Fermes de Marie. Une journée normale, ici, vous laisse difficilement le temps de skier. Elle commence par un petit déjeuner dans d'anciennes caves voûtées transformées et repeintes. Au milieu de la matinée, dans un petit salon douillet aux murs lambrissés, c'est l'heure du café et des gâteaux (version savoyarde du traditionnel « Kaffee und Kuchen » autrichien). Après quoi, il vous reste juste le temps de faire un saut dans la piscine (à l'intérieur d'une grange en bois ayant vue sur les pentes de Megève),

avant d'aller déjeuner dans le restaurant gastronomique. Si vous préférez le soleil, vous pouvez vous installer sur la terrasse qui jouxte le restaurant de fromages. Un après-midi de ski peut vous être arrangé dans la minute : une des Land Rover de l'hôtel vous amènera jusqu'à un remonte-pente, équipé de tout le matériel nécessaire. Selon le temps ou vos états d'âme, on viendra vous rechercher pour le thé ou pour un massage délassant après le ski. Et puis, bien entendu, il y a le dîner. La cuisine est d'un niveau tel que les Fermes de Marie sont devenues le restaurant où dîner à Megève.

Pour le ski, cette station n'est peut-être pas à la hauteur de celles qui ont été construites tout exprès pour cela, mais son style de vie est inégalable. Et, après tout, si vous vous sentez tout à coup d'humeur « trompe-la-mort », Chamonix n'est pas loin.

Adresse : Les Fermes de Marie, Chemin de Riante-Colline, 74120 Megève, France

Téléphone : (33) (0)4 50 93 03 10 - **Fax** : (33) (0)4 50 93 09 84

Chambres : à partir de 246 €

Villa Gallici

Pendant plus d'un siècle, le sud de la France a exercé un pouvoir magnétique sur tous ceux qui rêvaient d'évasion. Mais tout le monde ne songe pas pour autant à parader en bikini sur la Côte d'Azur. Si vous préférez parcourir le Cours Mirabeau à Aix-en-Provence – pur XVIII siècle miraculeusement préservé – et porter du lin plutôt que du Lycra, alors la Villa Gallici est faite pour vous. Demeure italienne perchée sur une colline, à une courte distance à pied du centre historique d'Aix, elle est parfaitement située pour vous permettre de profiter d'une des plus belles villes de l'Europe du Sud.

Gallici est le nom de son premier propriétaire. Malgré toutes les pressions exercées sur lui pour l'amener à vendre, il s'était toujours refusé à se séparer de sa maison bien-aimée, même quand, devenu veuf, il n'en pouvait assurer seul l'entretien. Gil Dez et Charles Montemarco vinrent cependant à bout de sa résistance et, en hommage au vieux monsieur Gallici, conservèrent son nom. Si l'architecture italienne rappelle que cette partie de la France a appartenu autrefois à l'Italie, l'intérieur est purement provençal : grandes armoires autrefois remplies de linge, fauteuils rustiques Louis XV et Louis XVI, sièges de paille tressée et indiennes aux couleurs vives.

Ce style douillet et bigarré, que d'innombrables beaux livres nous ont rendu familier, c'est là toute la Villa Gallici. Vous ne serez pas déçu par votre chambre. Il y en a des jaunes, des bleues, des vertes, des ocres, des roses... et chacune est décorée à la perfection dans un style qualifié de « rêve de boudoir provincial » par le magazine *Travel and Leisure*. Tous les détails, depuis les tissus jusqu'aux meubles, le soin avec lequel l'hôtel est tenu et le service (disponible vingt-quatre heures sur vingt-quatre) ont fait l'objet d'attentions expertes. On n'est pas surpris d'apprendre qu'avant de se lancer dans l'hôtellerie, les propriétaires étaient architectes d'intérieur. Leur profession les avait amenés à voyager beaucoup, et c'est leur grande expérience des hôtels qui, assurent-ils, leur a donné l'envie d'en ouvrir un.

D'avril à octobre, le petit déjeuner, le déjeuner et le dîner sont servis dehors, sur la terrasse bordée d'arbres. Charles Montemarco est

La somptueuse décoration intérieure
est l'œuvre des propriétaires,
Gil Dez et Charles Montemarco.

La Villa Gallici n'est qu'à cinq minutes
à pied de la vieille ville d'Aix.

Les ornements classiques de la Villa Gallici
rappellent que la ville fut une station
thermale romaine.

La qualité de la lumière dans la campagne d'Aix, ville natale de Cézanne, a inspiré de nombreux artistes.

Le style français, et plus particulièrement provençal, est ici parfaitement illustré.

La terrasse, sur laquelle on dîne en été, est ornée d'une fontaine à l'italienne.

particulièrement fier de la table. Comme il vous le dira, le niveau de la cuisine provençale traditionnelle n'est généralement plus ce qu'il était. Le chef de la Villa Gallici prépare des plats typiques, tels que la soupe au pistou, la ratatouille et les tartelettes aux tomates, qui, à l'en croire, exigent plusieurs années d'expérience pour être réussies. Les mets sont sublimes, assez délicieux pour donner au restaurant la réputation d'être l'un des meilleurs d'Aix.

Quant à Aix-en-Provence, vieille ville romaine, ses sources thermales, auxquelles on attribue des vertus roboratives, attirent les visiteurs depuis deux mille ans. Aix fut aussi la résidence de Cézanne, et ses œuvres sont exposées au Musée Granet, ainsi que dans son atelier, ouvert à présent au public. Tous les ans, au mois de juillet, a lieu le célèbre festival de musique. On attribue souvent la beauté, l'élégance et la courtoisie qui règnent à Aix à l'héritage du bon roi René – poète, mathématicien, vigneron et mécène du XVe siècle – que l'on s'accorde généralement à décrire comme aussi sage que bon vivant. Autrement dit, un personnage bien français. Pourtant, si Aix est ce qu'elle est, c'est parce qu'elle a longtemps refusé de devenir tout à fait française. Jusqu'en 1771, elle a eu son propre parlement et sa propre cour de justice, et, aujourd'hui encore, sa cour d'appel est la seconde, après celle de Paris, pour l'importance des affaires traitées.

Le côté le plus plaisant de la Villa Gallici reste peut-être sa situation, à parfaite distance du cœur de la vieille ville pour une promenade après le dîner entre la place des Trois-Ormeaux, avec sa petite fontaine et ses jeunes ormes, et le café des Deux-Garçons, lieu de prédilection de Cézanne et de Picasso.

Adresse : Villa Gallici, avenue de la Violette, impasse des Grands-Pins, 13100 Aix-en-Provence, France

Téléphone : (33) (0)4 42 23 29 23 - **Fax** : (33) (0)4 42 96 30 45

Chambres : à partir de 245 €

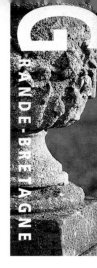
Babington House

« De toutes les grandes choses que les Anglais ont inventées et qui doivent être portées au crédit du caractère national, la plus parfaite, la plus caractéristique, la seule qu'ils aient maîtrisée dans tous ses détails au point qu'elle puisse être considérée comme l'illustration compendieuse de leur génie social et de leur comportement, est la maison de campagne, bien installée, bien gérée, bien meublée. » Voilà ce que pensait Henry James, et il serait difficile de ne pas en convenir. Irrésistible combinaison de nature, d'histoire et d'élégance, la maison de campagne anglaise est imprégnée de romantisme. Patauger en bottes de caoutchouc dans des champs battus par le vent, puis rentrer faire une partie de billard dans une maison où un feu ronfle dans la cheminée… Les revigorants plaisirs de plein air trouvent leur parfait complément dans le douillet confort qui règne à l'intérieur.

Babington est un domaine campagnard anglais et, qui plus est, géorgien. Ce style typique a régné de longues années et est de loin le plus apprécié en Angleterre. À Babington, vous vivez comme un lord du temps jadis. Mais, grâce au ciel, la nourriture ne ressemble pas à celle du passé. Au lieu de « faire rôtir n'importe quoi avec un légume », on a importé de Londres une culture culinaire citadine et cosmopolite. Le Babington doit être la seule propriété campagnarde à posséder un four à bois (où l'on fait de délicieuses pizzas maison) et une machine à cappuccino d'une puissance industrielle.

Le Babington se montre tout aussi innovant dans sa conception de l'aménagement intérieur. On a même fait preuve d'un salutaire irrespect envers le chintz froufroutant et les antiquités familiales. Résultat : le moderne et le géorgien se marient parfaitement.

Les cyniques vous répondront qu'il s'agit là d'une maison de campagne pour gens qui n'aiment pas la campagne, mais tous ceux qui ont fait l'expérience du prétendu romantisme de quelques nuits passées sans ce minimum de confort qui se nomme chauffage central, eau chaude à volonté et café buvable, vous confirmeront que le romantisme ne gagne rien à rimer avec inconfort.

La vérité plus prosaïque est que ces élégants volumes géorgiens exigent un entretien considérable et de monstrueuses dépenses de

chauffage. L'idée de gérer cette maison de campagne comme un club était, par conséquent, fort ingénieuse. La vieille salle à manger est devenue un bar « funky » ; il y a deux restaurants et un cinéma de cinquante places ; quant aux chambres, elles sont somptueusement équipées de salles de bains, avec des douches assez grandes pour deux et des baignoires sur pieds installées devant des cheminées en marbre.

Dans les vieilles granges, on a installé un centre de remise en forme, un bar à jus de fruits, un studio de danse, une salle d'aérobic et deux piscines chauffées, l'une à l'extérieur, l'autre à l'intérieur, ouvertes d'un bout à l'autre de l'année. Une froide journée d'hiver prend une tout autre tournure si vous la commencez par un bon bain dans la vapeur d'une piscine de plein air, au milieu des champs et des vaches.

Tous les luxes de la vie citadine n'enlèvent rien à l'authenticité de la maison et des environs.

Avec sept hectares de terrain, Babington est un véritable domaine, répertorié pour la première fois vers 1370, qui formait une communauté à lui tout seul. Il possède encore sa pittoresque chapelle, au bout d'une élégante allée bordée d'arbres. Une pelouse impeccable, plantée de vieux chênes, s'étend dans toutes les directions, sans l'ombre d'un immeuble, d'un poteau télégraphique ou d'une route pour gâter cette scène arcadienne.

Des jardins, une architecture, une histoire… Babington possède tout cela, sans oublier l'ingrédient nécessaire au succès d'une maison de campagne : une intéressante liste d'habitués. Comme son homologue à la ville, Soho House, le club le plus en vogue de Londres, Babington mélange les élites du cinéma, de la télévision, de la radio et des arts avec les non-membres payants, créant ainsi une atmosphère chargée d'un très britannique potentiel de scandale.

Adresse : Babington House, near Frome, Somerset, BA11 3RW, Grande-Bretagne
Téléphone : (44) 1373 81 22 66 - **Fax** : (44) 1373 81 21 12
Chambres : à partir de 175 £

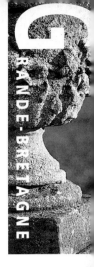

Charlton House

Roger et Monty Saul, les propriétaires de Charlton House, en savent long sur la vie dans la campagne anglaise. Ils ont même bâti là-dessus un empire commercial. Le cuir et les articles de mode signés Mulberry réunissent tout ce qui nous séduit dans l'art de vivre anglais. Sobre mais raffiné, luxueux sans être tapageur, c'est un style qui met l'accent sur le confort, la qualité des matériaux, l'esthétique et un certain raffinement. Pensez à la Jaguar, à l'Aston Martin, à Savile Row (tailleur), à l'architecture géorgienne, aux bottiers : tous évocateurs d'élégance et de prestige, sans préjudice du confort. C'est sur cette qualité sans tapage que les Saul ont fondé le design et la fabrication de leurs articles de mode et de voyage. Puis, inévitablement, étant donné l'intérêt de plus en plus vif porté à l'architecture d'intérieur, ils en sont venus à appliquer ce concept à la maison.

Manoir élisabéthain situé à Shepton Mallet, dans le Somerset, Charlton House est une publicité en 3D pour la gamme Mulberry, une vitrine somptueuse de style classique et romantique anglais. La propriété elle-même est signalée pour la première fois dans le *Domesday Book*, au XIe siècle. Depuis, elle a, bien sûr, fait l'objet de nombreux ajouts et restaurations : le porche est victorien, la façade géorgienne, la façade nord élisabéthaine tandis que le mur d'enceinte est probablement contemporain d'Henry VIII.

Pourtant, les lieux, leur histoire et leur beauté, ne sont pas les seuls atouts de Charlton House. Le principal, le plus puissant, tient à sa gastronomie. Il n'y a pas si longtemps, il y aurait eu quelque ridicule à justifier un voyage dans la campagne anglaise pour le seul plaisir de la table. Le plus fanatique des anglophiles aurait eu du mal à citer une seule adresse rurale capable de rivaliser avec la qualité et l'invention culinaires de ses équivalents français. Mais tout est en train de changer dans les campagnes anglaises. Pour ce qui est de dîner dehors, Londres n'est déjà plus le cousin handicapé de Paris et cette révolution gastronomique s'est propagée beaucoup plus loin. Charlton House en est la preuve, qui a obtenu une étoile au *Michelin*. Ce guide restant une publication française, il est permis de penser qu'un tel honneur représente un succès beaucoup plus remarquable en Angleterre.

Une fontaine devant Charlton House,
renommé pour ses jardins.

Pas de maison de campagne anglaise
sans portraits de militaires !

Les jardins sont ornés de sculptures,
telles ces antiques pommes de pin en pierre

Le caractère des chambres – toutes
différentes – doit beaucoup à la collection
de lits à baldaquin de l'hôtel.

Sans le moindre poney,
Charlton House donne une impression
de « polo à la campagne ».

Le restaurant de l'hôtel a obtenu une étoile
au *Michelin*. Le déjeuner est servi
dans le jardin d'hiver.

Mais qu'est-ce que cette cuisine a donc de si extraordinaire ? D'abord, son excellence en tout. Pour une fois, une attention aussi vive et une aussi grande inventivité sont portées au petit déjeuner, au déjeuner et au dîner. Et puis il y a le chef, Adam Fellows. Formé au Gavroche de Londres par les frères Roux, il a aussi travaillé à Bruxelles, dans un restaurant de poissons. Les Belges ne plaisantant pas sur ce sujet, Charlton House est devenu l'endroit d'Angleterre où l'on mange le meilleur poisson. Le rouget aux petits artichauts et oignons blancs est l'antithèse absolue des graisseux *fish and chips*.

Entre ces plaisirs gastronomiques, on peut jouir de la campagne encore intacte du Somerset. Il y a, à Charlton, un court de tennis, une piscine fermée et, comme il se doit dans un domaine anglais, un merveilleux jardin avec vergers, cascades, arbres taillés, pelouses et terrasses pour le thé de l'après-midi. Les villes historiques de Bath et de Wells sont facilement accessibles dans la journée. Mais, si le temps est à la pluie, rester à l'intérieur n'a rien d'une punition. Charlton, qui pourrait être la version hôtelière de *Shakespeare in Love*, illustre parfaitement la mode actuelle du théâtre élisabéthain. Sans être un fan de ce style, je dois reconnaître que ces grands lits à colonnes, tous ces velours et ces soies brodés, sont finalement plutôt sexy. Le mélange de vraies antiquités élisabéthaines et Tudor avec des tissus cossus aux couleurs somptueuses et profondes crée une atmosphère romantique… qui a sans doute moins à voir avec la réalité élisabéthaine qu'avec nos fantasmes, mais on ne risque rien à tenter l'expérience. Après tout, cela a marché pour Gwyneth Paltrow, pourquoi pas pour Charlton House ?

Adresse : Charlton House, Shepton Mallet, near Bath, Somerset, BA4 4PR, Grande-Bretagne
Téléphone : (44) 1749 34 20 08 - **Fax** : (44) 1749 34 63 62
Chambres : à partir de 135 £

Hôtel Tresanton

« Au poisson, à l'étain et au cuivre ! » : toast célèbre en Cornouailles parce que, tout récemment encore, c'était avec la pêche au pilchard et l'extraction de l'étain et du cuivre que l'on gagnait sa vie dans cette région de la pointe sud de l'Angleterre.

La vie y était dure. Étant donné sa situation, la Cornouailles revêtait une importance militaire particulière. C'est de là que les Anglais remportèrent la victoire sur l'invincible Armada. Mais la paix revenue, ce coin d'Angleterre était tombé dans l'oubli. Avant le chemin de fer, il fallait en moyenne quarante-huit heures pour venir de Londres. Mis à part certaines places stratégiques, comme le château de Saint Mawes et quelques domaines privés bâtis sur des fortunes minières, le pays restait isolé et humble, conservant son langage et ses traditions propres.

À la fin du XIXe siècle, la vie prit un tour encore plus désolant lorsque les grands bancs de pilchards cessèrent de passer le long des côtes. Au même moment, grâce à l'expansion de l'empire, on découvrait ailleurs des sources d'étain et de cuivre beaucoup plus importantes et plus accessibles. Autrement dit, la vie y devint quasiment insupportable.

Du coup, la Cornouailles est restée la même, tandis que le reste de l'Angleterre se transformait à une vitesse record. Ses pittoresques villages de pêcheurs, ses petits ports idylliques, ses plages de sable blanc et ses paysages vallonnés sont encore intacts. Pas d'industrie dans cette région peu peuplée, un climat tempéré par le Gulf Stream (c'est le seul endroit où, à pareille latitude, des plantes tropicales peuvent survivre) : la Cornouailles avait tout pour devenir la Riviera britannique. Cette péninsule est aujourd'hui si courue que l'immobilier y est presque aussi cher qu'à Londres. Les petites maisons aux toits de chaume des villages côtiers changent de mains sans jamais apparaître sur le marché.

Olga Polizzi connaît très bien la région. La famille de son mari y a eu longtemps une maison de vacances, l'Anchorage, dans la baie de Saint Mawes. Et c'est à quelques pas de là que le Tresanton fut ouvert, à la fin des années quarante, par Jack Siley, le parrain de son mari. Dans son âge d'or, il était l'un des

Henry VIII fit construire le château
de Saint Mawes pour protéger la côte sud
de l'Angleterre.

Tresanton a changé le style des vacances
anglaises au bord de la mer :
moins de froufrous, plus d'élégance.

Saint Mawes est caractéristique
de ces pittoresques villages de pêcheurs
de la Cornouailles.

Toutes les chambres sont différentes et n'ont
en commun que leur sobre raffinement.

Dans la salle à manger, des fauteuils
des années cinquante sont associés
à des murs lambrissés.

De la salle de jeux qui jouxte le bar,
la vue balaie toute la baie de Saint Mawes.

Le chef, Jack Zonfrillo, a travaillé avec
Marco Pierre White et Gordon Ramsay.

Dans le grand salon : larges canapés,
cheminée massive et antiquités disséminées.

Les salles de bains immaculées, aux murs
lambrissés, ressemblent à celles d'un yacht.

Les chambres de devant sont typiquement celles d'une maison de campagne en Cornouailles.

L'atmosphère est décontractée, mais la table et le service sont irréprochables.

Sur le sol du bar à expresso, une mosaïque représentant une boussole renforce le thème nautique.

Le sol de la salle à manger est décoré de médaillons en mosaïque.

Les créations d'Olga Polizzi sont brillantes et modernes, mais confortables.

La baie de Saint Mawes est un endroit très prisé en été pour le yachting.

Les jardins ont été créés par un Néo-Zélandais, qui a importé beaucoup de plantes exotiques.

Le microclimat engendré par le Gulf Stream permet à des espèces tropicales de fleurir ici.

Le décor très citadin forme un heureux contraste avec l'architecture des petites maisons du pays.

hôtels les plus chic de Cornouailles. Mais avec la démocratisation des voyages internationaux, dans les années soixante-dix, il avait connu un certain déclin.

« À chaque fois, raconte Olga Polizzi, que mon mari et moi allions faire un séjour à l'Anchorage, en passant devant le Tresanton, il me disait : "Tu devrais l'acheter et le remonter…" J'ai joué avec cette idée pendant des années. »

Qu'Olga ait été tentée s'explique. Fille de lord Forte, elle savait mieux que personne ce qu'est un hôtel. Et elle avait passé presque toute sa vie professionnelle aux côtés de son frère, sir Rocco Forte, responsable de joyaux tels que l'Eden à Rome, le George-V à Paris et le Waldorf à Londres. En 1995, le groupe Granada prit le contrôle de leur affaire. Ce fut l'occasion, pour elle, de créer son propre hôtel. Le Tresanton, au bord de la faillite, offrait un potentiel ;

elle disposait de temps, d'expérience et, après le rachat par Granada, de moyens financiers.

Le résultat ? Une nouvelle conception des vacances anglaises au bord de la mer. Le chef, Jack Zonfrillo, un italien d'Écosse, a appris à cuisiner avec Marco Pierre White et Gordon Ramsay. L'hôtel brille par ce qu'un magazine londonien a qualifié de « robuste absence de chichis ». Pas de petits napperons en papier, pas de mini-bars, pas de gravures de fleurs en vue. Tout y est simple et net, comme dans un bateau.

Rapidement considéré comme le petit hôtel le plus élégant hors de Londres, Tresanton est resté une affaire de famille. Et, quand l'hôtel manque de bras, toute la famille retrousse ses manches : Olga elle-même, ses deux filles, Alex et Charlie, et même son mari, l'écrivain et biographe William Shawcross, qu'on a déjà vu porter les bagages des clients jusque dans leur chambre.

Adresse : Hotel Tresanton, Lower Castle Road, Saint Mawes, TR2 5DR, Grande-Bretagne
Téléphone : (44) 1326 27 00 55 - **Fax** : (44) 1326 27 00 55
Chambres : à partir de 220 £

Mandawa Desert Resort

Au premier abord, cette série de huttes en terre plantées dans le désert aride du Rajasthan ne donne guère envie d'y séjourner. Et pourtant, c'est peut-être ce que l'Inde contemporaine a de plus fascinant à offrir.

Conçu par le couple de talentueux architectes Revathi et Kamath Singh, de Delhi, le Mandawa a été créé pour initier le voyageur à la simplicité et à la beauté de la culture indienne, sans pour autant le priver d'un vrai confort à l'occidentale. Revathi et Kamath sont de chauds partisans de la construction en terre, matériau particulièrement adapté à l'environnement et à la culture du Rajasthan. Les huttes de ce campement hôtelier sont installées comme les maisons des fermiers, potiers ou tisserands, dans la rue d'un village traditionnel. À l'extérieur, elles sont enduites d'argile séchée, avec des ouvertures, portes et fenêtres, simplement soulignées de frises blanches. Mais l'intérieur recèle de magnifiques (et très sobres) chambres, bien aménagées, décorées d'objets d'artisanat indien, de soies aux couleurs vives tissées à la main, et pourvues du confort le plus moderne, avec des salles de bains où l'on a habilement employé la pierre du pays. Le Mandawa est sans aucun doute l'un des hôtels les plus exotiques de la planète, mais il tire sa force de ce qu'il a été conçu non pas pour être exotique, mais pour être authentique.

Cette entreprise est née le jour où le Thakur de Mandawa, membre haut placé de la noblesse locale, a fait appel aux Singh pour l'aider dans la réalisation d'un de ses projets. Il avait déjà réussi dans l'hôtellerie en convertissant son palais en hôtel, et désirait maintenant en ouvrir un autre sur une bande de désert qu'il possédait, juste à la sortie de Mandawa. Pour leur expliquer ce qu'il envisageait de faire, il leur montra la photographie d'un motel canadien. Horrifiés par cette hérésie, mais néanmoins intéressés par les perspectives et les défis qu'offrait un tel projet, Revathi et Kamath Singh n'eurent de cesse de convaincre le Thakur de se conformer à la culture et à l'esthétique locales, et même, pourquoi pas, d'oser construire l'hôtel en terre. Dieu merci, ils y parvinrent. Et le motel à l'américaine se mua en ce village de terre qui n'offense pas la tradition du Rajasthan.

Assemblage impressionnant de textures, de

couleurs et de détails décoratifs destinés à évoquer un village tribal, le Mandawa initie le voyageur à cet art de vivre caractéristique du Rajasthan, fait de richesse et de grande simplicité. La beauté (tendance ethnique) de ce campement n'enlève rien à son confort. Bien sûr, il s'agit d'une mise en scène savante, mais elle n'exige des participants aucun renoncement au confort. Dans de grands espaces frais, vous pouvez vous régaler de cuisine indienne. Essentiellement végétarienne, elle ne ressemble en rien à celle que l'on sert dans la plupart des restaurants occidentaux. Il y a une piscine pour ceux qui veulent se reposer de la chaleur du désert. Les chambres sont climatisées et le campement est assez près du village de Mandawa pour qu'on puisse aller y faire quelques emplettes et se replonger dans une atmosphère plus frénétique.

La tradition tribale qui consiste à orner l'encadrement des portes et des fenêtres de motifs sanscrits est un rituel renouvelé chaque année au Mandawa. À la fin de la saison des pluies, lorsque la mousson a délavé l'argile qui recouvre les murs, on les enduit de nouveau et on repeint tous les bâtiments. Ce travail, entrepris par des femmes du village, est autant symbolique que décoratif car ces ornements sont investis d'un pouvoir sacré et protecteur.

Inutile de préciser que depuis son inauguration, il y a un peu plus de dix ans, le Mandawa a connu un extraordinaire succès. On y jouit d'un répit très rare dans l'immense flot d'agitation humaine qui menace partout, dans ce sous-continent, de vous engloutir. Comme on s'en doute, la plupart des Indiens ne vivent pas dans des palais. Mais, inversement, la plupart des voyageurs n'ont guère l'occasion de découvrir le fascinant mode de vie traditionnel de l'Inde.

Adresse : The Desert Resort Mandawa, District Jhunijhunu, Shekhawati, Rajasthan 333 704, Inde

Téléphone : (91) 159 223 151 - **Fax** : (91) 159 223 171

Chambres : à partir de 1 550 Rs

Neemrana Fort-Palace

Ce ne sont pas les palais qui manquent en Inde, en particulier au Rajasthan, mais, à mon avis, aucun ne donne autant que le Neemrana le sentiment de la splendeur et du raffinement de l'aristocratie indienne.

Pendant toute sa longue histoire, jusqu'à l'indépendance, en 1947, le sous-continent indien a été divisé en centaines de petits fiefs dirigés par des princes héréditaires – ou maharajas – qui exerçaient un pouvoir absolu. Même les Anglais, pendant les siècles de la colonisation, avaient maintenu les maharajas sur leurs trônes : c'était la seule façon de gouverner celle qui, depuis Alexandre le Grand, était considérée comme une « nation ingouvernable ». Les maharajas étaient autorisés à conserver leurs richesses et leur pouvoir local, à condition d'obéir aux ordres de leurs suzerains coloniaux.

Neemrana est un palais fortifié, construit pour son maharaja en 1464. Il est resté la résidence de la famille jusqu'en 1947, date à laquelle le dernier maharaja, Rajandra Singh, homme avisé qui prévoyait l'abolition des privilèges royaux, le quitta de son plein gré. Au cours des trente années suivantes, enhardis par la révolution, les habitants de la région ne trouvèrent rien de mieux à faire que de s'en servir comme d'une source de matériaux de construction. Ils démontèrent ce bâtiment splendide : portes, fenêtres, sols de pierre, tout fut mis à sac. Quand les actuels propriétaires jetèrent leur dévolu sur ce palais, en 1978, c'était « une splendide ruine ».

Francis Wacziarg, un Français installé à Delhi, exportateur d'artisanat indien pour des maisons comme Habitat ou Ikea, Aman Nath, écrivain et historien indien, O.P. Jain, propriétaire d'une affaire de meubles et de restauration d'antiquités, et Lekha Poddar, membre d'une des grandes familles d'industriels indiens, s'unirent pour reconstruire cet édifice qui avait été, un jour, le siège de la dynastie hindoue Chauhan. En l'absence d'archives historiques ou photographiques, ils se laissèrent guider par les normes et les techniques traditionnelles. Il fallait pour cela pas mal d'inconscience et un courage inébranlable. Mais aujourd'hui, selon les propres termes d'Aman Nath, ce palais « surpasse ce qu'il a dû être dans ses plus beaux jours ».

Étant donné ce que sont les palais, en particulier au Rajasthan, le Neemrana n'est certainement ni le plus célèbre ni le plus spectaculaire. L'Udaipur's Lake Palace, par exemple est plus enchanteur… du moins de loin. De près, on se rend compte que, pour obéir aux normes d'un Hilton ou d'un Sheraton, on a défiguré l'ordonnancement intérieur.

Rien de semblable avec le Neemrana. Le vieux fort a gardé tous ses coins et recoins, toute sa complexité. Fascinant, il doit son charme exotique à un labyrinthe de petites cours cachées, de corridors secrets, d'escaliers, de terrasses. Contrairement à la politique menée dans la plupart des palais transformés, on n'a pas cherché à exploiter au maximum l'espace disponible. Malgré les dimensions impressionnantes du bâtiment, il ne compte que trente suites, toutes différentes. Quant à leur décoration, elle honore l'héritage spirituel des lieux tout en tenant compte de l'intense chaleur qui règne dans ce désert du Rajasthan.

Le fort est bâti sur une colline escarpée qui surplombe le village de Neemrana, à deux heures en voiture de Delhi, mais à des siècles de distance pour ce qui est du style de vie. Ses habitants mènent encore une existence paisible, à l'écart du temps, ce qui devient rare en Inde. De toute évidence, cela n'a pas échappé aux différents ambassadeurs qui, fuyant le bruit, la pollution et la multitude humaine de Delhi, viennent régulièrement y passer leurs week-ends.

Ici, à la lisière du désert du Rajasthan, la température tombe brusquement au coucher du soleil, ce qui rend les nuits fort agréables, mais au petit matin, dans la brume étrange dont le fort est baigné, le réveil est également un délice.

Il était une fois des gens qui habitaient un palais, à Neemrana, et vivaient simplement au milieu de grandes splendeurs… Rien n'a changé.

Adresse : Neemrana Fort-Palace, Village Neemrana, District Alwar, Rajasthan 301 705, Inde
Téléphone : (91) 114 616 145 - **Fax** : (91) 114 621 112
Chambres : à partir de 1 500 Rs

Surya Samudra

Situé sur un promontoire rocheux entre deux plages désertes, Surya Samudra est un endroit où l'on imagine aisément Hemingway ou William Somerset Maugham passant quelques semaines dans un splendide isolement à taper comme des forcenés sur leur machine à écrire. L'État du Kerala, sur la côte sud-ouest de l'Inde, ne ressemble en rien au Nord aride. Avec ses palmeraies qui oscillent à perte de vue dans la brise tropicale et ses innombrables plages de sable blanc, sans parler de son style de vie voluptueux et décontracté, c'est le lieu rêvé pour fuir l'harassante multitude de l'Inde.

Surya Samudra a d'abord été une maison de pierre octogonale, à cinquante kilomètres de la pointe du sous-continent et à quelques minutes du port historique de Vizhinjam. Il y a vingt ans, un habitant, pour le moins perspicace, avait signalé le site et ses potentialités au professeur allemand Klaus Schleusener. Celui-ci, sans hésiter, était venu en Inde, à la suite d'un accord culturel d'échange germano-indien, enseigner à l'Institut technologique de Madras. Et, comme beaucoup d'autres, il tomba sous le charme. Avec l'aide d'amis indiens, il acheta donc le terrain et

entrepris de concevoir un hôtel en complète harmonie avec le paysage, le climat et les traditions locales.

La forme octogonale fut décidée afin d'offrir le plus grand nombre possible d'ouvertures sur une vue extraordinaire. L'espace, en particulier la hauteur de plafond, fut conçu pour tenir compte de la chaleur. On choisit la pierre, à la fois pour sa solidité et parce que c'est un bon isolant. Par sécurité, et pour se mettre à l'abri des pluies battantes de la mousson, on ajouta des portes et des fenêtres. Cependant, la plupart du temps, la maison est largement ouverte à la brise. À l'intérieur, on opta pour des matériaux naturels : pierre, carreaux de terre cuite, granit blanchi à la chaux et poutres de bois recyclées.

Au Kerala, les maisons sont traditionnellement construites en bois dur, comme le teck, avec des toits de chaume et de larges ouvertures qui conduisent à des vérandas ombragées. L'étude de l'architecture de l'Inde du sud ayant inspiré à Schleusener un intérêt passionné pour la région et son style, il parcourait les routes du Kerala le jour, en se donnant la mission

Obscur, frais et aéré, l'intérieur des huttes est idéal pour rendre supportable la chaleur éprouvante du Kerala.

Les villas du Surya Samudra surplombent deux plages fréquentées par les pêcheurs indigènes.

Tout le Sud-Est asiatique a largement reçu l'influence architecturale de l'Inde du sud.

Contrairement au nord aride, le Kerala
est luxuriant et tropical.

La maison octogonale du propriétaire,
réalisation hindoue minimaliste,
fait maintenant partie de l'hôtel.

Des maisons traditionnelles ont été sauvées
de la destruction, démontées
et reconstruites face à l'océan.

de sauver de la destruction chaque bribe d'architecture indigène. Et le soir, il lui arrivait d'organiser des concerts de musique traditionnelle, avec cithares, tambours et flûtes.

Comme c'est souvent le cas, il n'était pas dans les intentions initiales de Schleusener de partager son petit coin de paradis. Mais, incapable de résister à un sauvetage de dernière minute (il achetait aux indigènes les maisons qu'ils s'apprêtaient à démolir), il finit par se retrouver à la tête d'une série de constructions en bois sculpté. Scrupuleusement démontées, elles furent reconstruites morceau par morceau, face à l'océan Indien. L'idée était d'y loger famille et amis. Mais après douze maisons, Schleusener trouva qu'il avait un peu trop d'« amis », et la décision d'accueillir des hôtes payants s'imposa tout naturellement. Ce virage ne devait entraîner que peu de changements, hormis l'adjonction d'une

piscine creusée dans le granit. On donne toujours des représentations de danse classique et d'arts martiaux, et les maisons ont toutes gardé leur structure traditionnelle (même si on leur a ajouté des « salles de bains-jardins » à ciel ouvert).

La vraie grande surprise, c'est la cuisine. Pendant la mousson (juin et juillet), Klaus se rend en Italie, dans son autre maison, sur le lac de Côme. Au fil des années, il a fini par convaincre certains membres de son personnel de l'accompagner et les a initiés à la cuisine européenne. Dès qu'ils en ont l'occasion, les chefs du Surya Samudra s'empressent de vous faire profiter de leurs talents. Demandez un thé à cinq heures et vous verrez leurs yeux briller à l'idée de mettre un gâteau au four. Le soir, ils préparent le poisson fraîchement pêché avec des herbes italiennes et des légumes à l'indienne. Ajoutez-y un bon karma et vous serez comblé !

Adresse : Surya Samudra Beach Garden, Pulinkudi, Mullur PO, Thiruvananthapuram 695 521, Kerala, Inde
Téléphone : (91) 471 480 413 - **Fax** : (91) 471 481 124
Chambres : à partir de 4 500 Rs

L'Atelier Sul Mare

Depuis les origines de la civilisation méditerranéenne, la Sicile a toujours été une plaque tournante commerciale. Les empires égyptien, phénicien, romain et grec en avaient fait une base pour leurs activités. Après avoir été pendant trois millénaires la terre d'élection de la culture européenne, cette île accueillait, il y a deux cents ans, la puissante flotte britannique rassemblée par l'amiral Nelson dans la baie de Palerme. Cent ans plus tard, à la tête de ses Chemises rouges, Garibaldi accomplissait l'étonnant exploit qui mettait fin à la mainmise des Bourbons sur l'Italie du sud et ouvrait la route à la première unification de la péninsule italienne depuis la Rome antique.

Qu'une île aussi riche d'histoire devienne le théâtre d'un phénomène tel que l'Atelier Sul Mare, devait être écrit dans les astres. Fondé par Antonio Presti, fils d'un magnat local du ciment et entrepreneur lui-même, l'Atelier Sul Mare est le second grand projet de cet homme d'affaires sicilien, projet destiné à promouvoir l'art moderne monumental. Le premier se nommait Fiumara d'Arte : un parc de sculptures qui accueille des œuvres commandées à neuf artistes contemporains internationaux. Ces ouvrages spectaculaires, qui ont chacun la taille d'un immeuble de deux ou trois étages, se répartissent le long de la rivière Tusa, au nord-est de la Sicile, dans le massif des Nebrodi.

L'Atelier Sul Mare procède de la même démarche : l'hôtel a été construit pour donner envie de vivre en communion avec l'art contemporain. Contrairement à la fameuse Colombe d'Or du sud de la France, décorée d'œuvres de quelques-uns des plus grands artistes mondiaux, à l'Atelier Sul Mare, les artistes sont invités à tour de rôle à venir transformer une chambre entière en une installation. Seules contraintes : qu'il y ait de quoi accrocher ses vêtements et un matelas pour dormir. Hormis cela, les artistes, dont beaucoup ont déjà participé à la Fiumara d'Arte, n'ont pour seule limite que leur imagination. Le metteur en scène chilien Raoul Ruiz a ainsi fait surgir un planétarium minimaliste : une tour circulaire noire de dix mètres, avec un lit rond tournant et un toit à glissière ouvrant sur le ciel. Fabrizio Plessi, spécialisé dans la vidéo, a, lui, créé une chambre baptisée « Le Refus de la mer » : recouverte de tous côtés de vieilles portes, elle empêche

Conçue en hommage à Pasolini,
cette chambre reconstitue l'intérieur
d'une hutte yéménite.

Sur la côte rocheuse du nord-est de la Sicile,
l'Atelier Sul Mare se trouve littéralement au
bord de l'eau.

« Le Nid », de Paolo Icaro, est un refuge
ovale où le couvre-lit reprend un motif
de plumage.

« Énergie », de Maurizio Mochetti, monde imaginaire en rouge et blanc, s'oppose au bleu de la Méditerranée.

Quatorze chambres ont été installées par des artistes contemporains de renommée internationale.

Le bar, un ancien garage, a été « tagué » à l'intérieur comme à l'extérieur par des artistes locaux.

complètement de voir la mer sur laquelle donne l'hôtel... à l'exception d'une demi-douzaine d'écrans vidéo alignés, sur lesquels des vagues viennent se fracasser sans relâche.

Mais la chambre la plus insensée est assurément l'œuvre de Presti lui-même. Créée en hommage à son héros, le poète et metteur en scène italien Pasolini, toute la pièce est couverte d'argile rouge, allusion au Yémen, pays favori de Pasolini. Dans une frise blanche sont gravées des paroles de Pasolini en arabe. Le téléphone, quant à lui, est caché dans le sol, sous une trappe recouverte de la même argile. Mais ce n'est encore rien comparé à la salle de bains. Baptisée « Car Wash », c'est un enchevêtrement macaronique de tuyaux de cuivre qui jaillissent du mur comme les serpents de la tête de la Méduse et projettent de l'eau dans toutes les directions. Les enfants adorent.

Pour Antonio Presti, c'est exactement le but de l'Atelier Sul Mare : faire de l'art un jeu. Convaincu que l'art a été mis à mort par la maladresse des intellectuels autant que par les spéculations des acheteurs, il est consterné de constater combien les occasions sont rares, pour les gens, de voir des œuvres d'art en dehors de l'espace guindé des musées. Ainsi, bien que certains des artistes engagés aient une réputation internationale, il ne s'agit pas d'un projet élitiste. Tout au contraire.

Tous les matins, selon un étonnant rituel, les hôtes déposent leur clef à la réception, dans une grande coupe en pierre, puis sont invités à s'emparer d'un autre jeu de clefs et à aller faire un tour dans les chambres, ce qui paraît d'abord une horrible intrusion (moi qui ai laissé traîner mon slip...). Mais puisque la direction a l'air de trouver ça normal, nous aussi. C'est avec de telles audaces qu'Antonio Presti parvient à faire triompher l'imaginaire.

Adresse : L'Atelier Sul Mare, via Cesare-Battisti 4, Castel di Tusa, Messine, Sicile, Italie
Téléphone : (39) 0921 33 42 95 - **Fax** : (39) 0921 33 42 83
Chambres : à partir de 52 €

Certosa di Maggiano

Quand les actuels propriétaires, un couple de Milan, tombèrent par hasard sur ce monastère fondé près de Sienne, en 1316, par le cardinal Riccardo Petroni, c'était un enchevêtrement ahurissant de constructions ajoutées et d'extensions. Conçu à l'origine pour douze moines et un prieur, il avait été défiguré par des siècles d'indifférence. Anna Rossi Recordati n'en fut pas pour autant découragée. Elle s'était installée à Sienne lorsque son mari, spécialiste renommé de chirurgie cardiaque, avait été nommé doyen de l'université de cette ville. Malgré l'état des bâtiments, elle vit dans ce gigantesque puzzle de pierre un foyer potentiel pour sa famille. Pour l'aider, elle engagea Renzo Mongiardino, le meilleur des architectes d'intérieur italiens, aujourd'hui disparu, qui faisait autorité en matière de décoration historique.

Sous le regard expert de Mongiardino, partout où c'était possible, on restaura l'architecture primitive, avec ses colonnes de pierre et ses magnifiques plafonds voûtés. Là où ils étaient irréparables, les éléments du cloître furent minutieusement reconstruits tels qu'ils devaient être au XIVe siècle. À force d'imagination et de ténacité, le plus vieux monastère chartreux de Toscane ne recouvrit pas seulement son ordonnance d'origine, mais aussi sa vie profonde et son inspiration. Ainsi, la magnifique chapelle qui domine la propriété sert-elle au service du dimanche et à rien d'autre.

Quand Mongiardino, traquant partout le beau et le rare, courtisé par les plus riches et les plus puissantes familles italiennes (y compris les Agnelli), en vint à s'occuper de Certosa di Maggiano, il fit l'acquisition de pièces très importantes – pas question de se contenter de bibelots décoratifs. Le lustre doré qui domine la salle à manger d'hiver, par exemple, est un gigantesque mais simplissime Murano, suspendu très bas, pour créer un effet spectaculaire. Le salon, appelé « hall de l'Empereur », est meublé de profonds divans tapissés de chintz couleur thé et dominé par une série de douze peintures vénitiennes représentant des empereurs romains sur leur monture. Les toiles sont accrochées directement au mur dans des cadres peints en trompe-l'œil.

Après plus de dix ans, l'œuvre de Mongiardino a toujours le même charme intemporel. Son plus

La bibliothèque met en valeur l'espace voûté
et élancé de ce monastère chartreux
du xvᵉ siècle.

Situé au milieu des vignes,
Certosa di Maggiano offre une vue
merveilleuse sur la Toscane.

Somptueux tissus et couleurs vives sont un
constante du style décoratif de l'hôtel.

Le déjeuner est servi sous les colonnades restaurées qui longent la piscine.

Treize hectares de jardins et de vignes entourent le fameux monastère Renaissance.

Le petit déjeuner se prend dans l'ancienne cuisine des moines.

grand mérite est sans doute d'avoir rendu l'espace habitable sans sacrifier son intégrité.

Cependant, le signore Rossi devant quitter son poste à Sienne et les enfants ayant grandi, les Rossi retournèrent à Milan. Plutôt que d'abandonner leur résidence, ils décidèrent de la transformer en un petit hôtel de luxe. Il fallait qu'il soit splendide : Anna Rossi Recordati venait de s'attribuer une nouvelle mission ! Deux ans plus tard, Certosa di Maggiano intégrait la prestigieuse chaîne des Relais & Châteaux.

Ce rapide succès s'explique. Tout ce qui avait séduit les Rossi quinze ans auparavant exerce le même irrésistible attrait sur les visiteurs. Situé sur une colline près de Sienne, entouré de treize hectares de vignobles et de jardins, l'hôtel offre le meilleur de la Toscane : un site historique, grisant, romantique, merveilleusement beau et tranquille. Quiconque a déjà passé ses vacances en Italie sait que les Italiens adorent tout ce qui est pourvu d'un moteur et que les jeunes sont capables de se livrer jusqu'à l'aube à de pétaradants rodéos dans les rues du plus petit village. À Certosa, vous n'entendez rien. Vous avez l'exquise impression de vous retrouver dans la Toscane qui a inspiré D.H. Lawrence.

Dans la meilleure tradition locale, les mets sont ici simples et réalisés à partir de produits locaux, renommés pour leur qualité. Pas de superstar en cuisine, pas de plats hybrides, de menus internationaux mis à la torture. Selon le temps, le petit déjeuner est servi dans la cuisine au carrelage d'origine ou sur la terrasse adjacente ; le déjeuner, à l'ombre des arcades qui longent le canal alimentant la piscine ; et l'on dîne dans le cloître. Il y a près de sept cents ans, Certosa di Maggiano a été construit pour être un lieu de retraite et de silence. Il l'est toujours.

Adresse : Hôtel Certosa di Maggiano, strada di Certosa 82, 53100 Sienne, Italie
Téléphone : (39) 0577 28 81 80 - **Fax** : (39) 0577 28 81 89
Chambres : à partir de 362 €

Il Pellicano

Il Pellicano serait-il l'hôtel le plus romantique d'Italie ? Son histoire rejoint celle de deux amants, Michael Graham et Patsy Daszel. Graham était un splendide pilote britannique qui, pour échapper à la mort, avait sauté d'un avion sans parachute. Seul survivant de cette catastrophe aérienne survenue dans la jungle africaine, il avait compté sur la densité de la végétation pour amortir sa chute. À l'époque où cet incroyable exploit avait fait la une de la presse internationale, Patsy Daszel était une beauté américaine des plus charismatiques, courtisée par Clark Gable. Fascinée par cette histoire, elle désira rencontrer cet homme « courageux et béni des dieux ». Et le destin voulut qu'elle le rencontre… par hasard, dans un endroit de Californie appelé Pelican Point. Ce fut le coup de foudre.

Bien des années plus tard, le couple rechercha à travers toute l'Europe une retraite romantique. Ainsi naquit Il Pellicano.

Dans les années soixante, ce coin inaccessible de Monte Argentario (à 150 kilomètres au nord-ouest de Rome) était un havre de nature sauvage : falaises spectaculaires, eaux bleues et pures, forêts épaisses. Simplement reliée au continent par deux chaussées, la montagne était en grande partie couverte de forêt et inhabitée. Ses deux sommets jaillissaient de la mer, à l'abri des routes bruyantes et des grands immeubles – ce qui est toujours le cas. Il Pellicano a d'abord été une maison que les célèbres amants bâtirent pour eux-mêmes, entourée de plusieurs autres construites dans le voisinage pour des amis. L'hôtel, inauguré par Charlie Chaplin en 1965, fut un énorme succès dès le premier jour, en particulier auprès des célébrités en quête de simplicité et d'intimité dans un décor sensationnel, et il est élu en permanence l'un des meilleurs hôtels du monde. L'état d'esprit qui y règne, selon le *Harpers & Queen*, est « un mélange de country club et de fête privée ». L'endroit, étrangement séduisant, devient si vite familier qu'il donne une impression de déjà vu. Situé à deux pas de Porto Ercole, l'un des lieux les plus sélects d'Italie, Il Pellicano n'a cependant rien d'ostentatoire ni de grandiose. La vie y est simple et détendue, l'architecture et le design d'une élégance discrète.

Le raffinement d'Il Pellicano vient d'abord de ce qui n'est pas visible. Le garage, par exemple, de quelque cinquante voitures, a été creusé dans la montagne et dissimulé sous les deux courts de tennis en gazon synthétique. De même, on a creusé un ascenseur dans la falaise pour ceux que rebutent les marches en colimaçon qui ramènent de la plage aux maisons installées plus haut dans la montagne. Même si on ne peut pas voir les voisins, tous les bâtiments de la propriété (six maisons et le bâtiment principal qui abrite la réception, le bar et le restaurant) sont enduits de la même nuance terre cuite, avec des toits couverts de tuiles d'argile typiques de l'architecture toscane. La famille royale d'Espagne, Leonard Bernstein et Gianni Agnelli font partie des gens en vue qui, par le passé, ont choisi de prendre ici leurs vacances.

Proche à la fois de Rome et du centre de la Toscane, l'Argentario donne accès à une impressionnante variété de ruines romaines et étrusques, ainsi qu'à de magnifiques forts abandonnés par les Espagnols, qui régnèrent ici aux XVIᵉ et XVIIᵉ siècles. À l'époque de la Rome antique, le promontoire appartenait à une famille de financiers (*argentarrii* en latin). Un membre de cette famille, Domitius Ahenobarbus, épousa Agrippine la jeune, sœur de Caligula, et fut donc le père de Néron. Un passé si prestigieux explique qu'on trouve, sur l'Argentario lui-même, les ruines de cinq vastes et luxueuses villas romaines dont Jules César parle dans *De Bello Civili*.

On se promènera également avec plaisir dans la vieille ville fortifiée de Porto Ercole, de même qu'à Porto Santo Stefano et Orbetello. Toutes les trois ont des marchés et des boutiques qui méritent la visite. On peut aussi faire une virée d'une journée en Toscane, déjeuner dans la magnifique cité médiévale de Sienne et rentrer à temps pour un bain de fin d'après-midi.

Adresse : Il Pellicano, 58018 Porto Ercole (GR), Italie

Téléphone : (39) 0564 83 38 01 – **Fax** : (39) 0564 83 34 18

Chambres : à partir de 180 €

La Posta vecchia

Existe-t-il quelque chose de plus séduisant qu'un palais italien Renaissance en été ? Sans doute pas… ou alors, un palais italien Renaissance sur une plage. Voilà ce que l'un des hommes les plus riches du siècle dut se dire. Il n'y a pas si longtemps, la Posta vecchia était la résidence de J. Paul Getty, aussi célèbre pour sa fortune faite dans le pétrole que pour sa pingrerie.

Mais s'il est une chose sur laquelle Getty n'a jamais lésiné, c'est bien sa passion pour l'architecture, l'art et les antiquités. Cet impressionnant palais, à jour traversant, situé à une heure à peine de Rome, a été pendant des siècles la propriété de la famille Odescalchi. Construite, en 1640, la résidence accueillait marchands et autres visiteurs de la famille qui, pour sa part, vivait non loin de là, dans un château fortifié. Ce palais devint ensuite un relais de poste pour le courrier du roi, d'où son nom. Getty connaissait les Odescalchi qui, à l'occasion, lui louaient leur château pour l'été. Mais c'était le bâtiment voisin qui, malgré son délabrement, l'attirait plus que tout. Le prince

Ladislao Odescalchi répugnait à vendre, mais la ténacité de Getty finit par l'emporter et, en 1965, il fit l'acquisition de la Posta vecchia.

Getty engagea aussitôt une rénovation complète du bâtiment et, avec l'aide de l'historien d'art Federico Zeri, passa dix ans à rechercher, pour le meubler, tableaux et antiquités dignes d'un musée. Mais rien – pas même la passion dévorante qu'il éprouvait pour les antiquités romaines – ne l'avait préparé à recevoir le cadeau qui l'attendait. Alors qu'on creusait le jardin pour y construire une piscine (bien que la propriété possédât déjà sa plage privée de sable noir), il fallut tout arrêter : les ouvriers venaient de découvrir une villa romaine, dont certains disent qu'elle aurait appartenu à l'empereur Tibère. On fit appel à des archéologues et l'on choisit un autre emplacement pour la piscine. On commença à creuser et… surprise ! une autre villa romaine. Retour des archéologues. N'étant pas homme à renoncer, Getty décida d'installer sa piscine sous la maison. Avant de creuser, il fallut suspendre le palais tout entier sur de grosses poutres d'acier. Ceci fait, il n'est pas difficile de

Le *tiramisu*, nappé d'une spirale de menthe, est une spécialité culinaire de la maison.

Palais italien de la Renaissance, la Posta vecchia est située sur la côte tyrrhénienne.

Une attention scrupuleuse est portée à tous ces « détails » que seule une grande richesse permet de se procurer.

Cette piscine, qui se trouve dans l'une des ailes du palais, a toute une histoire.

Les pâtes aux *scampi* sont l'une des grandes réussites de la cuisinière de J. Paul Getty.

Une magnifique cheminée de marbre parachève le décor de certaines salles de bains.

Petit salon privé aménagé dans un large corridor.

La salle à manger occupe l'aile opposée à celle de la piscine.

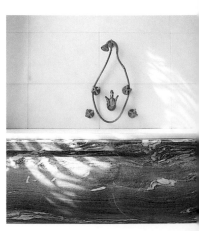

Des robinets de bronze en forme de cygne ornent cette baignoire en marbre.

La façade du palais donne sur la mer,
tandis que l'arrière ouvre sur des jardins
de style classique.

Pour meubler la villa, Getty
s'est fait conseiller, pendant presque dix ans,
par un historien de l'art.

Dans une chambre, détail de la tête de lit
d'un rouge antique.

Le plateau de cette table est recouvert
de « scagliola », marbre poli incrusté
de mortier coloré.

Getty a rempli la maison d'objets
inestimables qu'il a vendus
avec la propriété.

La salle de bains dont disposait Getty dans
sa suite est un chef-d'œuvre de marbre rose.

Les propriétaires actuels ont mis
s années à trouver l'exacte nuance de terre
cuite qui couvre les façades.

Somptueuses et spacieuses, les suites
rappellent l'époque où ce palais
était une demeure privée.

Les personnages sculptés qui décorent
les couloirs sont dignes d'un musée.

deviner ce qu'ils trouvèrent ! Celle-ci était en meilleur état, avec un sol de mosaïque intact et assez d'objets pour remplir un musée. Que fit Getty ? Il transforma cet espace en musée pour ses propres trésors. Quant à la piscine, il décida de la faire dans le seul endroit où il était certain de ne pas trouver de villa romaine : dans une aile, à l'intérieur même du palais.

Mais pour Getty, on s'en souvient, l'histoire a mal fini. Les Brigades rouges, dans ce qui fut l'un des kidnappings du siècle, enlevèrent son petit-fils et lui coupèrent l'oreille pour prouver qu'ils ne plaisantaient pas. Getty paya la rançon, puis, écœuré, quitta l'Italie en jurant qu'il n'y remettrait plus les pieds. Il tint parole. Le palais et tout ce qu'il contenait furent vendus à la famille Scio, qui en fit sa résidence d'été jusqu'à ce que, les enfants ayant grandi, Roberto Scio persuade sa famille d'en faire un petit hôtel de luxe.

Tout y est encore tel que Getty l'a laissé : fauteuils, miroirs, tables, tableaux, tous dignes d'un musée. Partout ailleurs, on courrait le risque d'y trouver un certain inconfort, mais les Italiens sont à l'aise avec leur histoire, même lorsqu'ils dorment dans un lit ayant appartenu à Marie de Médicis. La cuisinière, engagée près de trente ans auparavant par Getty, continue d'élaborer des menus qui ne transigent pas avec la fraîcheur des produits. Rien de trop sophistiqué : la nourriture est comme l'atmosphère, simple et détendue. Et, puisqu'on est au bord de la mer, l'accent est mis sur les poissons et les coquillages. De mai à octobre, les repas sont servis sur la terrasse qui surplombe la Méditerranée.

Si, donc, vous avez toujours voulu savoir ce que c'était que de vivre comme Paul Getty (les gardes du corps et la terreur paranoïaque en moins), la Posta vecchia est l'occasion ou jamais d'essayer.

Adresse : La Posta vecchia, 00055 Palo Laziale, Rome, Italie

Téléphone : (39) 06 994 95 01 - **Fax** : (39) 06 994 95 07

Chambres : à partir de 400 €

Parco dei Principi

Bordée par une chaîne de montagnes volcaniques qui plongent dans une Méditerranée vert émeraude, la côte amalfitaine compte parmi les plus beaux rivages d'Italie. Elle a conquis bien des écrivains, des cinéastes, des acteurs et des familles royales. Liz Taylor et Richard Burton y firent une escapade torride lors du tournage de *Cléopâtre* à Rome. L'écrivain Gore Vidal y passe plusieurs mois par an, et Franco Zeffirelli y recevait des princes et des stars de cinéma américaines.

La côte amalfitaine allie le climat et le charme de la Méditerranée à une culture presque trois fois millénaire. Depuis les Grecs de l'Antiquité jusqu'aux Bourbons, cette région, au sud de Naples, fut convoitée par une succession de souverains puissants. Rien d'étonnant, donc, si l'on y trouve des ruines romaines (Pompéi et Herculanum), des palais Renaissance, des villas Belle Époque, des églises médiévales, sans oublier les petits villages de pêcheurs où le temps semble suspendu. Parmi tous ces vestiges, l'un des chefs-d'œuvre de Gio Ponti, le plus célèbre architecte italien du XXe siècle, se démarque par sa modernité.

Ponti est à l'Italie ce que Frank Lloyd Wright est aux États-Unis : un créateur génial dont le travail a profondément influencé les conceptions esthétiques de son pays. On lui doit le plus grand gratte-ciel de Milan, la tour Pirelli, en forme d'ellipse. Fondateur de *Domus*, prestigieux magazine d'architecture et de design, il a aussi dessiné des assiettes et des meubles pour les plus grandes marques italiennes. Bien que son nom soit plutôt associé à des réalisations urbaines, l'un de ses projets ayant le mieux résisté aux changements de modes – et qui est peut-être le plus extravagant de tous – se dresse sur la côte amalfitaine. Perché sur les falaises spectaculaires de Sorrento, à quelques centaines de mètres au-dessus de la Méditerranée, le Parco dei Principi est un parfait exemple d'innovation architecturale réussie. L'hôtel est resté aussi novateur, surprenant et élégant qu'au jour de sa construction, voici plus de trente ans.

Du bâtiment au mobilier en passant par les stores, la décoration des murs, les assiettes et même les carrelages, Ponti a conçu le Parco dei Principi dans ses moindres détails. Résultat :

un hôtel totalement original, qui ne ressemble à rien au monde. Gio Ponti aimait décliner sur tous les modes une couleur unique. Pour le Parco dei Principi, il a opté pour le bleu. Ainsi, les murs blancs sont incrustés d'œufs de béton bleu brillant, les stores vénitiens aux différentes nuances de bleu forment des surfaces de rayures horizontales, les canapés du hall d'entrée sont tapissés de lainage bleu marine, et même les téléphones ont été commandés spécialement… dans un ton particulier de bleu. Toutefois, c'est dans la conception des sols que Ponti a véritablement mis à l'épreuve sa théorie de la couleur unique. En coopération avec un céramiste local, il a dessiné une centaine de variations géométriques associant le blanc à trois tons de bleu.

De mai à octobre, le site est entièrement voué à l'hédonisme. Tous les ingrédients sont réunis : le temps (chaud et ensoleillé), les vacanciers (minces, sexy et bronzés), et la cuisine (à mi-chemin entre l'art culinaire toscan et la gastronomie de Calabre, plus épicée et à base de tomates, sans parler des pizzas qui font la renommée de Naples). Ici, le programme est simple : on loue un scooter pour sillonner les routes idylliques de la côte, on déniche un petit restaurant dans un village de pêcheurs, puis on pique une tête dans la mer après déjeuner. Un couple belge d'un certain âge que j'ai rencontré au Parco dei Principi y passe un mois par an depuis vingt ans. Lors de leur premier séjour, leur fille n'avait que quelques mois ; cette année, elle est venue avec son petit ami, et ses parents comptent bien un jour revenir avec leurs petits-enfants. Je ne sais pas s'ils sont des inconditionnels de Gio Ponti : ce qui leur plaît dans cet hôtel, c'est qu'en vingt ans, ils n'ont jamais rien vu de plus élégant ni de plus original.

Adresse : Hôtel Parco dei Principi, Vita Rota 1, Sorrento, 80067, Italie
Téléphone : (39) 081 878 21 01 - **Fax** : (39) 081 878 37 86
Chambres : à partir de 155 €

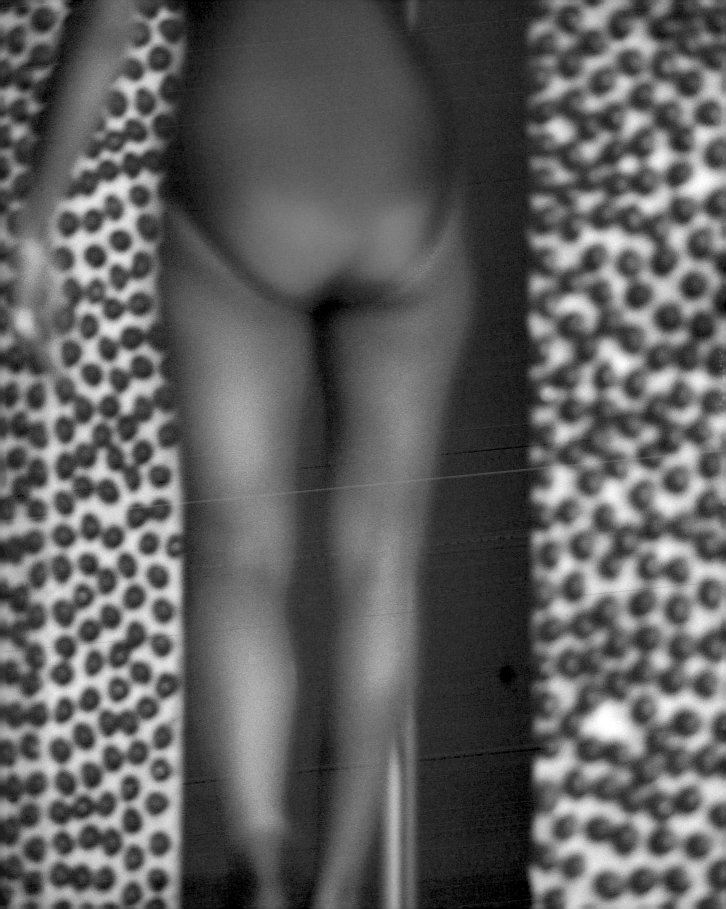

Strawberry Hill

Installé dans une ancienne plantation de café, le Strawberry Hill est perché à plus de 900 mètres d'altitude sur un plateau vert intense, au cœur des luxuriantes Blue Mountains de Jamaïque. Il domine la ville tentaculaire de Kingston, sur le fond bleu turquoise de la mer des Caraïbes. Le site appartenait autrefois au comte d'Orford, alias Horace Walpole, que la famille royale britannique aurait doté de 13 hectares de terres fertiles, à la fin du XVIIIᵉ siècle. Même si on y cultivait (et si on y cultive toujours) des fraises, le domaine tient son nom de la propriété de Walpole, à Twickenham, en Angleterre.

La plantation, qui a vu le jour voici presque trois siècles, a peu changé, en grande partie grâce à son isolement. Jadis, le trajet de Kingston au Strawberry Hill se faisait en voiture à chevaux, sur une piste sinueuse. Aujourd'hui, le voyage n'est guère plus rapide. La route est désormais pavée, mais elle est restée tout aussi escarpée et tortueuse.

Malgré les changements de propriétaires qui ont eu lieu au fil des années, le domaine a conservé son mode de vie colonial et raffiné. Le fondateur d'Island Records, Chris Blackwell,

venait y prendre le thé avec ses parents lorsqu'il était enfant, tradition inaugurée par la famille Da Costa, qui régnait sur la plantation dans les années 1940. Plus tard, en 1972, Blackwell se porta acquéreur de la propriété, où dans les années quatre-vingt il reçut une foule de célébrités et de musiciens, dont les Rolling Stones et Bob Marley. Comme son homonyme anglais, le Strawberry Hill devint un endroit à l'ambiance décontractée où l'on se retrouvait pour déjeuner dans la fraîcheur de la montagne. Rien d'étonnant, donc, si un restaurant s'y est ouvert en 1986. La « great house », une construction en bois d'un seul étage de style géorgien, fut rénovée pour l'occasion (et reçut le prix du patrimoine architectural). Deux ans plus tard, hélas, elle fut détruite par l'ouragan Gilbert, qui anéantit en quelques heures une institution de deux siècles.

Blackwell a attendu 1991 pour charger une architecte jamaïcaine, Ann Hodges, de construire une maison sur le site. Interprétation contemporaine de l'esthétique jamaïcaine traditionnelle, ce bâtiment est une grande réussite. Blackwell a donc fait appel à la même architecte pour construire

d'autres maisons de même style pour sa famille et ses amis. Puis les lieux se sont transformés en hôtel de montagne à l'atmosphère intime. En 1994, enfin, Blackwell a ouvert le Strawberry Hill, le premier des Island Outpost Hotels en Jamaïque.

L'originalité de l'architecture et de la décoration des douze villas du Strawberry Hill justifie les nombreux prix qui leur ont été décernés. Précédées d'auvents et de vérandas, elles offrent de splendides vues sur les montagnes. Toutefois, le principal attrait de cet établissement, qui constitue un petit monde à part, réside dans le rôle qu'il continue à jouer dans la société jamaïcaine. Ce n'est pas une simple villégiature de luxe pour touristes étrangers. Son excellent restaurant est très prisé : hommes politiques, artistes, écrivains et autres personnalités de Kingston s'y retrouvent pour le brunch dominical. Chaque semaine, ils n'hésitent pas à effectuer quarante-cinq minutes de route dans la fraîcheur et la brume des Blue Mountains, pour y discuter jusqu'au coucher du soleil autour d'une table bien garnie. Son ancrage dans la vie locale est un atout indéniable, en rupture avec la tradition coloniale. Ainsi, bien que superbement isolé, le Strawberry Hill n'est pas coupé de la vie trépidante de Kingston, qui s'étend à ses pieds.

Le Strawberry Hill est aussi réputé pour son centre de soins Aveda. Qu'on ne s'y trompe pas : il s'agit bien d'un véritable centre de remise en forme avec des installations professionnelles. Déstressants ou revitalisants, les différents soins pour le visage, pour le corps, pour les cheveux et le cuir chevelu sont dispensés après un bilan individuel. Les jardins luxuriants et les sentiers sinueux de l'ancienne plantation offrent un cadre idéal à ces traitements qui, tous, s'attachent au bien-être du corps et de l'esprit.

Adresse : Strawberry Hill, Irish Town P. A., Saint Andrew, Jamaïque
Téléphone : (876) 944 84 00 - **Fax** : (876) 944 84 08
Chambres : à partir de 295 $

Pangkor Laut

Voyageurs en quête d'aventures, abstenez-vous : l'atout de cette petite île vert émeraude dans le détroit de Malacca, c'est précisément qu'il n'y a rien d'autre à faire que de s'y adonner à l'oisiveté, la conscience parfaitement tranquille.

Les pauvres touristes astreints à un programme de visites draconien, sans aucun instant de répit du matin jusqu'au soir, n'ont guère le temps de s'attarder sur les détails de leur hébergement. Après une journée épuisante, n'importe quel lit leur semble confortable. En revanche, dans un lieu entièrement voué au calme et à la volupté, le décor prend une importance considérable.

Cette quête d'un cadre de vie agréable n'a rien de nouveau : les Romains cherchaient déjà un site de rêve pour leurs demeures champêtres, conscients que l'architecture peut magnifier le charme d'un site et rehausser la beauté des paysages. C'est là que réside la prouesse du Pangkor Laut qui, par sa seule présence, sublime son décor. Grâce à l'hôtel, les 150 hectares de forêt tropicale bordée de plages de sable blanc

ont gagné en beauté et en mystère. Avant de concevoir les plans du complexe, l'architecte thaïlandais Lek Bunnang et le paysagiste américain Bill Bensley ont sillonné l'Asie pour s'imprégner des méthodes de construction et des styles vernaculaires. Ils ont recouru à des matériaux et à des techniques traditionnels. Ainsi, les plafonds de toutes les villas sont en bambou. Quant au centre de remise en forme, il est inspiré d'une mosquée de Telok Intan. Certaines villas sont noyées dans la verdure, à flanc de colline, d'autres donnent sur la mer. Toutefois, les habitations les plus fascinantes sont les maisons de style *kampong*, installées sur les eaux de Royal Bay et de Coral Bay. Perchées sur pilotis, elles sont inspirées des villages de pêcheurs en bois. Une nuit dans l'une d'elles, au-dessus des eaux vert émeraude des tropiques, est d'un exotisme absolu, avec lequel seule une nuit passée sur le pont d'un voilier, ou à la belle étoile dans le désert, pourrait rivaliser.

Même le personnel, vêtu de sarongs, se déplaçant sans bruit sur les appontements en bois, un plateau en équilibre sur l'épaule, contribue au dépaysement et à la mise en scène. Il émane de cet endroit une impression magique, inoubliable.

La gastronomie n'est pas en reste. Le Pangkor Laut peut satisfaire les gourmets les plus exigents. L'éventail proposé est à l'image de la culture cosmopolite malaise. Le Samudra, restaurant malais traditionnel, sert des mets à base de lait de coco, de nouilles, de citronnelle et d'épices, et ses desserts traditionnels, au sagou, au sirop de palme et à la noix de coco, sont exquis. L'Uncle Lim's Kitchen est, lui, un restaurant en plein air, perché sur un piton rocheux de Coral Bay. D'ailleurs, il y a vraiment un oncle Lim en cuisine. Il paraît que le matin, certains cordons-bleus amateurs l'accompagnent au marché sur le continent. Sa spécialité est la cuisine chinoise *nonya* : des plats malais accommodés à la chinoise, avec des épices et des sauces plus exotiques et parfumées. Ce que j'y ai mangé, du poulet enveloppé dans une feuille de lotus et cuit sous une croûte de sel, était excellent. En tout, l'île abrite sept bonnes tables capables de satisfaire les épicuriens les plus insatiables.

Des excursions guidées dans la jungle sont proposées par monsieur Yip, un passionné de nature qui a élu domicile sur l'île. Il vous fera découvrir de nombreuses espèces animales, parmi lesquelles des macaques, des calaos, des aigles de mer et des varans. Malgré leur bon mètre de longueur et leur air de crocodile, ces gros reptiles sont parfaitement inoffensifs. Plus de 80 % de la superficie de l'île sont couverts d'une forêt tropicale âgée de deux millions d'années, que les propriétaires des lieux entendent bien préserver. L'hôtel a posé des jalons en matière de développement touristique compatible avec l'environnement, domaine dans lequel l'Asie a bien des leçons à donner au reste du monde.

Adresse : Pangkor Laut Resort, Pangkor Laut Island, 32200 Lamut, Perak, Malaisie
Téléphone : (60) 5 699 1100 - **Fax** : (60) 5 699 1200
Chambres : à partir de 720 ringitts

Soneva Fushi

Les Maldives ont un avantage de taille sur les autres îles paradisiaques : il y a plus de poissons et moins de monde qu'ailleurs ! Avec leurs incroyables paysages sous-marins en technicolor, elles font le bonheur des plongeurs, de l'amateur équipé d'un simple tuba au passionné de fonds marins. Visiter les Maldives sans plonger, dit-on ici, équivaudrait à traverser la chapelle Sixtine sans lever les yeux.

Il y a trente ans, le tourisme y était quasiment inexistant. Cet archipel de 1 190 îles qui se déroule sur 800 kilomètres dans l'océan Indien, au sud-ouest du Sri Lanka, ne recevait, en 1972, que 197 visiteurs. Modeste piste d'atterrissage sur une bande de corail, l'aéroport accueillait, pour tout trafic, un vol occasionnel d'Air Lanka en provenance de Colombo. Mais aux Maldives, le spectacle compense largement l'absence d'infrastructures. Ces îles, qui émaillent la mer d'un chapelet de pointillés verts, blancs et bleus, cachent la plus grande richesse d'espèces marines au monde : 250 espèces de coraux, 63 types d'algues, plus de 1 200 espèces de poissons tropicaux et 14 espèces d'oiseaux marins y ont élu domicile. La présence de l'homme n'a quasiment pas laissé de traces sur l'environnement. Pas étonnant, donc, que les eaux des Maldives soient les plus pures au monde.

Bien sûr, on s'est passé le mot, et ces îles attirent désormais bien des disciples de Robinson Crusoé. La république des Maldives accueille aujourd'hui plus de 300 000 visiteurs par an – ce qui est plus que la population locale. Toutefois, cette présence passe presque inaperçue. Respectueux de l'environnement et des modes de vie traditionnels, le tourisme local repose sur une idée simple : héberger les visiteurs exclusivement sur des îles inhabitées, et limiter le nombre de lits en fonction de la superficie de l'île. Les chiffres sont parlants : sur 1 190 îles, seules 200 sont habitées (et quatre îles seulement comptent plus de 5 000 habitants). Les visiteurs se répartissent sur 70 îles autrefois inhabitées.

Ici, il n'y a ni musées, ni monuments, ni sites historiques. Il n'y a donc rien d'autre à faire que de rester allongé dans un hamac sur la plage, la conscience parfaitement en paix. Toutefois, toutes les îles ne se valent pas. Si presque toutes offrent des fonds marins magnifiques, certaines accueillent aujourd'hui des charters et aucune ne présente un grand intérêt sur le plan architectural. À une exception près : le Soneva Fushi, situé à 120 kilomètres au sud de Malé, la capitale, dans l'atoll de Baa. Installées sur l'île de Kunfunadhoo, ses soixante-deux huttes à toits de paille (de taille et de luxe variable) accueillent, au maximum, 124 clients. Au Soneva Fushi, il n'y pas d'activités, pas d'animations, pas de boîte de nuit, pas de voitures et pas de piscine – en bref, rien qui gâcherait le plaisir de marcher pieds nus dans le sable. Au programme : une débauche de plages de sable blanc, d'eau turquoise, de corail, et une jungle luxuriante, ce dont peu d'îles peuvent s'enorgueillir. Nichées dans la verdure, les villas ne sont qu'à quelques pas de leurs plages privées. Des sentiers de sable sillonnent l'île, pour relier les différentes installations, comme le bar, la bibliothèque et les deux restaurants, de part et d'autre d'une école de plongée. Cette jungle permet à chacun d'opter pour la part de solitude qu'il désire.

Le Soneva Fushi est l'œuvre de Sonu Shivdasani et de son épouse Eva (d'où son nom), qui ont acheté cette île voici un peu plus de dix ans et ont aménagé ses cinquante hectares de sable blanc et de jungle verdoyante, avec le luxe et la minutie qui sont l'apanage des îles privées. Le moindre détail a été pensé avec goût, depuis les cylindres en bambou dans lesquels les fax sont remis à leur destinataire jusqu'aux récipients en terre cuite remplis d'eau permettant de se rincer les pieds pleins de sable. Tout y est fait pour vous permettre de vous consacrer à la personne la plus importante au monde : vous.

Adresse : Soneva Fushi Resort, Kunfunadhoo, Maldives
Téléphone : (960) 230 304 - **Fax** : (960) 230 374
Chambres : à partir de 155 $

Las Alamandas

« Trop de tourisme tue le tourisme » : c'est en ces termes qu'un ministre mexicain a fort justement commenté le développement anarchique de son pays. Prenons Puerto Vallarta, sur la côte pacifique du Mexique, qui n'était qu'un petit village de pêcheurs lorsque Ava Gardner et Richard Burton y tournèrent *La Nuit de l'iguane*. Temps au beau fixe, littoral intact, plages de sable blanc et culture latine : au début des années soixante, des noms comme Puerto Vallarta, Acapulco et Mazatlán étaient synonymes de paradis. Aujourd'hui, ces endroits présentent tous une fâcheuse ressemblance avec la Costa Brava et son cortège de fast-foods, d'hôtels gigantesques, et ses hordes de visiteurs.

Las Alamandas est aux antipodes de ce tourisme-là. C'est probablement le seul endroit de la côte pacifique mexicaine qui soit resté inchangé depuis les Aztèques. Campé sur un vaste domaine privé, Las Alamandas est plus proche du village que du complexe hôtelier : de jolis bungalows, construits avec des matériaux traditionnels, sont éparpillés le long d'une plage privée, dans un décor verdoyant et sauvage.

Ici, vous ne trouverez ni mariachis, ni bars à thème, ni *tacos* à emporter…

À l'origine, le site était destiné à devenir un Acapulco bis. Or, son propriétaire, Don Antenor Patiño, magnat sud-américain de l'étain, n'eut que le temps de faire bâtir quelques immeubles en béton avant de mourir, léguant la propriété à sa petite-fille, Isabel Goldsmith. Excluant catégoriquement tout remake d'Acapulco, cette dernière conçut des projets très différents pour cette parcelle idyllique du littoral. Un petit village discret et isolé a ainsi vu le jour, accueillant des visiteurs pour qui la beauté du décor l'emporte sur l'animation, les mariachis et autres margaritas.

Faisant fi de toutes les règles, Isabel Goldsmith a créé un endroit idéal pour tous ceux qui n'apprécient ni les carcans ni les contraintes. Lorsqu'un serveur vous demande ce que vous souhaitez, il veut vraiment dire : « que voulez-vous manger ? », et non « que voulez-vous parmi ce que nous avons sur la carte ? » Dans les bungalows, il n'y a ni téléviseur, ni téléphone (sauf si vous insistez…). Le client peut faire ce que bon lui semble : prendre son petit déjeuner en plein après-midi, monter à cheval sur la plage, faire de l'exercice dans la salle de gymnastique, isolée et climatisée, ou piquer une tête dans la mer. La philosophie de l'hôtel consiste à offrir au client ce luxe rare : une totale liberté.

En coulisse, cela exige une organisation méticuleuse. On ne compte pas moins de quinze employés pour un client : il faut bien que quelqu'un soit disponible quand Robert de Niro commande des hamburgers et de la bière en pleine partie improvisée de jacquet. Une véritable petite armada d'employés a pour unique mission l'entretien du site : infatigables, ils vaporisent du produit anti-moustiques à la tombée de la nuit, ratissent les chemins de graviers rouges et jugulent l'exubérance de la vigne vierge, des arbres ou des fleurs indigènes. C'est ce souci du détail poussé à l'extrême qui fait de Las Alamandas un lieu à part, qui attire une clientèle tout aussi exceptionnelle. Quelle que soit la personnalité du cinéma, du théâtre ou du monde des affaires à laquelle vous pouvez penser, il y a fort à parier qu'elle a séjourné ici.

Mais, pour moi, le principal atout de Las Alamandas, outre son emplacement paradisiaque, réside dans son décor. Les jardins, l'architecture, les couleurs et les détails ornementaux sont tous inspirés des traditions et de l'artisanat mexicain : les plafonds voûtés sont en briques, technique utilisée dans quantité d'églises et de monastères. Les murs, peints en jaune, bleu ou rose vif, affichent les coloris fétiches du pays. Des chaises traditionnelles agrémentent toutes les pièces, et les murs des salles de bains sont ornés d'azulejos. Chaque lampe, chaque pot de fleur, chaque plat et chaque carrelage, provient d'un village mexicain dont il est la spécialité. Las Alamandas est devenu l'un des endroits les plus mexicains du Mexique.

Adresse : Las Alamandas, PO Box 201, San Patricio Melaque, CP 48980, Mexique

Téléphone : (52) 328 555 00 - **Fax** : (52) 328 550 27

Chambres : à partir de 290 $

Auberge Tangaro

Peinte aux couleurs de la côte atlantique marocaine, dans une sobre palette de blanc, de bleu et d'ocre, l'auberge Tangaro réunit un ensemble de bâtiments blanchis à la chaux, sur un site balayé par le vent, à quelques kilomètres d'Essaouira. Décorée avec simplicité, de tapis tissés à la main achetés dans les souks de la région et de meubles créés par des artisans locaux, cette ancienne maison close a débuté une nouvelle vie grâce à un touriste italien tombé sous le charme des lieux, au point de s'y installer définitivement.

Amateur de belles choses, cet Italien a rénové le site dans un style conciliant sobriété et authenticité. Les murs des salles de bains sont ornés de carrelages marocains bleu et blanc, et des carreaux de terre cuite couvrent tous les sols. La plupart des chambres ne contiennent guère plus qu'un lit, une table et deux chaises, un dépouillement aussi élégant que bienvenu dans la chaleur de l'Afrique du Nord. Les salles de bains spacieuses disposent de l'eau courante chaude et froide ainsi que de tuyauteries aux normes occidentales. En revanche, il n'y a

pas d'électricité. Ce qui ne fait qu'ajouter au charme : les bougies qui agrémentent toutes les pièces ne sont pas purement décoratives. L'atmosphère, surtout à la nuit tombée, n'est pas sans évoquer *Un thé au Sahara* de Paul Bowles. La salle à manger elle-même est entièrement éclairée aux chandelles, et le romantisme de l'ambiance compense largement la perte de confort. L'auberge Tangaro permet de découvrir ce mysticisme et ce mystère oriental qui font, depuis toujours, l'attrait du Maroc.

Des chameaux paissent devant le portail et une longue piste poussiéreuse mène à des plages désertes. Installée au point culminant d'un promontoire qui donne sur la ville d'Essaouira, l'auberge offre de magnifiques panoramas de la côte accidentée et battue par les vents, si prisée des amateurs de planche à voile. L'hôtel est suffisamment proche d'Essaouira pour qu'on aille y prendre un café ou explorer ses marchés, mais suffisamment éloigné pour offrir la beauté et la solitude d'un endroit à l'écart des sentiers battus.

Essaouira, l'ancienne Mogador, fut une ville marchande portugaise, désormais renommée pour

Blanchie à la chaux et brûlée
par le soleil, l'auberge est typique du style
de la ville voisine d'Essaouira.

Les meubles traditionnels marocains en
branches de laurier-rose sont omniprésents.

Les vents de la côte atlantique africaine for[...]
de l'auberge Tangaro un lieu très fréquent[...]
par les véliplanchistes.

Les cheminées et les bougies
ne sont pas purement décoratives :
ici, il n'y a pas d'électricité.

Le petit déjeuner et le déjeuner sont servis
sur la terrasse, à l'ombre des eucalyptus.

Sobre et dépouillé, l'intérieur convient
parfaitement à la décontraction locale
et à la chaleur.

son artisanat traditionnel, et notamment pour le travail du bois. Sa physionomie a été si bien préservée qu'Orson Welles l'a choisie comme décor de son film *Othello*, estimant qu'Essaouira ressemblait plus que tout autre à une ville marchande méditerranéenne du XVIIᵉ siècle.

Cette région du Maroc a connu une histoire mouvementée. Au temps des Romains, qui s'emparèrent des lieux au terme d'une longue campagne contre les Berbères des montagnes, Essaouira devint une bourgade importante. La pourpre, cette magnifique teinture extraite d'un mollusque, était produite sur un îlot à quelques encablures de ses côtes.

Plus récemment, c'est une autre spécialité marocaine, bien moins légale, qui a attiré les visiteurs dans cette paisible petite ville de pêcheurs. Les marchands des souks à la langue bien pendue vous raconteront que Jim Morrison a passé tout un été à Essaouira. Les temps ont bien changé depuis les années soixante-dix. Aujourd'hui, les touristes viennent ici pour les vagues, le vent et le climat (c'est du moins ce qu'ils prétendent). Nombre d'entre eux finissent souvent par y rester quelques semaines, voire quelques mois ; ce qui est en partie lié au coût de la vie (ainsi, une nuit à l'auberge Tangaro ne coûte que 300 francs, dîner et petit déjeuner compris).

Toutefois, le principal atout d'Essaouira réside dans son ambiance particulière. Comme Bali, Byron Bay en Australie et le Kerala dans le sud de l'Inde, c'est un paradis pour hippies de luxe. Les vacanciers y sont décontractés et cordiaux, et, en ville, les cafés ne manquent pas d'animation. Quant aux vagues, elles se prêtent à merveille au surf (les jours sans vent) ou à la planche à voile (les jours de grand vent, c'est-à-dire à peu près tout le temps).

Adresse : Auberge Tangaro, quartier Diabat, BP8 Essaouira, Maroc

Téléphone : (212) 4 784 784 (pas de fax).

Chambres : à partir de 650 dirhams

La Gazelle d'Or

Installée dans un pavillon de chasse du Sud marocain, à l'extérieur de la vieille ville de Taroudannt, la Gazelle d'Or se trouve à une heure d'Agadir vers l'intérieur des terres, dans l'une des vallées qui séparent les monts de l'Atlas de la mer.

En réalité, ce pavillon de chasse ressemblerait plutôt à une hacienda des plaines du Sud de l'Espagne. Révélatrice de la luxuriance de l'oasis, la longue et élégante allée qui mène à l'entrée est entièrement bordée de bambous. Entouré d'hectares de jardins regorgeant de bougainvilliers et de rangées de cyprès parfaitement entretenues, le complexe réunit des maisons de pierre spacieuses et une vingtaine de bungalows. Ces derniers sont disposés autour de deux vastes pelouses en hémicycle, dignes de la campagne anglaise. Séparés les uns des autres par un foisonnement de lauriers-roses, de jasmins, d'hibiscus, de cactus et de palmiers, ils jouissent d'une parfaite intimité. Une telle luxuriance contraste avec les paysages accidentés, poussiéreux et accablés par un soleil de plomb, qui entourent la Gazelle d'Or. La chaleur oppressante y est renvoyée par la verdure des jardins, où souffle une brise qui se rafraîchit à mesure qu'elle rase les nombreux bassins, canaux et jardins d'eau. Mise au point par les Perses, cette climatisation naturelle explique le statut mythique que les jardins ont atteint dans la culture arabe.

Une promenade dans cette verdure procure un profond sentiment de bien-être et de sérénité. Bien que le domaine compte des écuries, des courts de tennis et une immense piscine d'une propreté irréprochable, le lieu paraît étrangement inadapté à la pratique du sport. L'ambiance est plus propice à la langueur de la vie dans le désert. D'ordinaire, l'oisiveté ne compte pas parmi mes habitudes. Si on m'avait dit qu'un jour, je resterai installé à écouter deux crapauds coasser dans un bassin à nénuphars au coucher du soleil… Cette oasis du Grand Sud marocain semble avoir des effets magiques.

En dehors du farniente, l'activité principale de la journée consiste à se restaurer. La gastronomie est ici érigée en art et donne lieu à une mise en scène raffinée. Au réveil, vous appuyez sur une touche du téléphone et,

À la Gazelle d'Or, les moutons servent
de tondeuses à gazon écologiques.

La réception, où les couleurs
et les ornements décoratifs marocains
sont utilisés avec parcimonie.

Tous les matins, le personnel en vêtements
traditionnels vous sert le petit déjeuner
sur la terrasse de votre bungalow.

La cérémonie traditionnelle
de la préparation du thé à la menthe.

Avec leurs 150 hectares d'oasis luxuriante
et parfaitement entretenue, les jardins
de la Gazelle d'Or sont exceptionnels.

Détail des murs devant lesquels sont
installés les lits, dans tous les bungalows.

Le Coran interdit la représentation d'êtres
humains ou d'animaux, ce qui explique
la tradition décorative de l'art musulman.

Dans les paysages brûlants et arides
du Sud marocain, les cyprès et les palmiers
sont visibles à des kilomètres.

La vieille ville de Taroudannt est
suffisamment proche pour s'y rendre en vél

La décoration est authentiquement marocaine. Cette chaise, par exemple, est typique de l'artisanat d'Essaouira.

Les « mille et une nuits » : l'intérieur du bâtiment principal est particulièrement féerique à la nuit tombée.

La piscine et le centre de remise en forme et de massage, au cœur des jardins.

a plupart des repas sont servis en plein air : le déjeuner, en bordure de piscine, et le dîner près du bâtiment principal.

Une tente berbère traditionnelle accueille des manifestations spéciales.

Soieries colorées, sols aux incrustations de marbre noir, tables en laiton et portraits berbères : un décor oriental éclectique.

La mascotte de l'hôtel, une gazelle d'or, rappelle son passé de pavillon de chasse.

Les clients de l'hôtel peuvent monter les pur-sang arabes des écuries.

À une époque, les Marocains étaient les meilleurs cavaliers et les meilleurs tireurs au monde (mais aussi les plus redoutés).

en un rien de temps, un grand Marocain vêtu d'une djellaba et d'un fez apparaît, un immense plateau en équilibre sur l'épaule. Il dresse la table sur votre terrasse privée, disposant croissants, pâtisseries, crêpes marocaines et confitures maison sur une nappe en lin. À côté, les buffets de la plupart des cinq-étoiles font bien pâle figure.

L'acte II, le déjeuner, se joue dans un lieu différent. Composé de poissons et de viandes grillés, accompagnés d'un grand choix de salades cultivées sur le domaine, il est servi à l'ombre des oliviers bordant la piscine. Tenue de rigueur : maillot de bain et serviette. Au troisième acte, arrive le dîner, digne des *Mille et Une Nuits*. Il est servi dans le patio verdoyant, à la lueur des lanternes joliment disposées sur le sol de mosaïque. Les clients s'habillent pour dîner (smoking et robe du soir) et le déroulement de la soirée se fait plus cérémonieux. Le dîner s'étire sur plusieurs heures, les plats se succédant à l'infini.

La Gazelle d'Or offre un aperçu de ce Maroc que l'on croyait disparu, celui des années vingt et trente, où les Européens venaient vivre comme des pachas, attirés par cette culture mystérieuse et exotique, et ces extraordinaires jardins.

Si l'oisiveté vous donne le vertige, le remède le plus simple consiste à louer un quatre-quatre pour explorer les environs. Vous y découvrirez le Sud sauvage, un paysage fait de canyons spectaculaires, de gorges tapissées de palmiers et de villages idylliques où le temps semble s'être arrêté. Le Maroc est aussi une destination très prisée des chasseurs. Ceux-ci lèvent le camp avant l'aurore et partent, aidés de rabatteurs, chasser la tourterelle (un fléau au dire des Marocains, car ces oiseaux pillent les récoltes de blé). Personnellement, j'ai du mal à comprendre que l'on puisse préférer la chasse au pur bonheur de ne rien faire…

Adresse : La Gazelle d'Or, BP 260, Taroudannt, Maroc
Téléphone : (212) 885 20 39 - **Fax** : (212) 885 27 37
Chambres : à partir de 4580 dirhams

Les Deux Tours

Les petits hôtels luxueux comme les Deux Tours n'existaient pas encore dans le Maroc d'après-guerre dépeint par Paul Bowles dans *Un thé au Sahara*. Ses deux protagonistes américains, Port et Kit Moresby, ne trouvaient que palaces somptueux ou pensions miteuses. Il ne fait aucun doute qu'ils auraient adoré les Deux Tours.

L'hôtel doit son nom aux deux constructions en argile qui gardent sa majestueuse entrée. L'imposant portail en bois de style mauresque s'ouvre sur une enfilade de petites cours débordant de bougainvilliers. Une autre porte cintrée donne sur un magnifique espace carrelé, qui mène à une grande cour intérieure et à un jardin doté d'une superbe piscine. On y découvre Marrakech telle qu'on l'a rêvée : mystérieuse, colorée, exotique. Toutes les chambres s'ouvrent sur une cour ou sur un patio caché. Quant aux salles de bains, je n'en ai jamais vu de plus inouïes. Tours baroques en briques d'argile affichant des détails ornementaux rivalisant d'originalité, baignoires encastrées au ras du sol et nichées dans des alcôves, hauts plafonds en coupole, mosaïques complexes rehaussées de finitions traditionnelles *tadlekt* : tout concourt ici à célébrer l'imagination orientale.

Les Deux Tours regroupent plusieurs villas installées dans un luxuriant jardin clos de murs où explosent les parfums et les couleurs des jasmins, des lauriers-roses et des bougainvilliers. Dehors, les paysages offrent un spectacle diamétralement opposé : une vaste étendue de désert hostile et écrasé de soleil, ponctuée ici et là de bouquets de palmiers dattiers. L'oasis de l'hôtel semble tout droit sortie de *Lawrence d'Arabie*. Pourtant, on est toujours en ville, dans le quartier de Marrakech baptisé la Palmeraie.

Cet endroit légendaire, qui existe depuis plusieurs siècles, s'étend en forme de croissant bordant la ville sur trois côtés. La Palmeraie a suscité l'admiration de nombreux voyageurs. Encore récemment, toute construction y était strictement interdite. Aujourd'hui, certains projets immobiliers voient le jour, sous réserve qu'aucun palmier ne soit endommagé, et que chaque maison ou lotissement se dresse sur un terrain d'au moins deux hectares. Cette réglementation étonnamment stricte a permis à la Palmeraie de conserver sa physionomie enchanteresse.

La médina, vieille ville du XIIe siècle cernée de murailles, n'est qu'à quinze minutes en voiture. Pourtant, le contraste avec la Palmeraie est si frappant que le trajet paraît plus long. Emplies des senteurs, des bruits et du spectacle d'une cité médiévale, ces ruelles dédaléennes sont à mille lieues de la tranquillité de la Palmeraie.

Les Deux Tours sont l'œuvre d'un architecte de Marrakech, Charles Boccara. Originaire de Tunisie, il a fait ses études à Paris. Son nom est synonyme d'une architecture qui puise dans l'histoire et la culture du Sud marocain. À l'instar des *ksour*, forteresses berbères installées dans des gorges verdoyantes en bordure du Sahara, ses constructions en argile s'inspirent avec modernité d'une technique de construction et de matériaux typiques de la région. Associé à une poignée d'architectes, comme Elie Mouyal, Boccara mène un combat de tous les instants contre l'offensive impitoyable du béton.

Devant les Deux Tours, on ne peut s'empêcher de penser que la ville tout entière devrait être à l'image de l'hôtel, ce qui était précisément l'intention de l'architecte. Les matériaux (bois, briques d'argile et carreaux de mosaïque maghrébine, les formes (tours couronnées de dômes, murs crénelés, cours cachées) et les couleurs (rose, violet, jaune, rouge, bleu et noir) sont inspirés du passé fascinant du Maroc, mais déclinés ici sur un mode résolument moderne. De même, tous les objets décoratifs, comme les tapis, plats, coupes, vases, lanternes et tables, sont des créations artisanales marocaines.

Sans une once de passéisme, les Deux Tours rendent hommage à l'éclat de la culture marocaine. Cet hôtel est la porte d'entrée rêvée sur l'une des villes les plus fascinantes d'Afrique du Nord.

Adresse : Les Deux Tours, BP 513 Marrakech-Principal, Douar Abiad Circuit de la Palmeraie de Marrakech, Maroc

Téléphone (212) 4329 525 - **Fax** : (212) 4329 523

Chambres : à partir de 1250 dirhams

Amanwana

Se rendre à l'Amanwana est déjà toute une aventure. Jusqu'à l'aéroport de Denpasar, à Bali, rien de bien compliqué. Mais, au-delà, les avions deviennent plus petits et le mercure monte. Après un vol intérieur pour Lombok et un saut de puce au-dessus d'un magnifique volcan jusqu'à Sumbawa (l'endroit tient davantage du garage à l'abandon que de l'aérodrome), reste à traverser l'île de Sumbawa en minibus sur une route cahoteuse qui mène à une marina. Là, un bateau de pêche au gros vous attend et franchit une baie bleue turquoise pour rejoindre Moyo, une bonne heure plus tard.

Cette île indonésienne est quasiment déserte : à peine quelques milliers de personnes y vivent dans plusieurs villages regroupés sur le même versant. Totalement sauvage, le reste de l'île est une terre d'aventures. Notre aventure à nous a commencé dès l'arrivée : l'appontement sur lequel les clients débarquent d'ordinaire avait été balayé par le dernier typhon, nous contraignant à utiliser l'embarcadère de secours, de l'autre côté de la lagune. Là, des jeeps couleur « camouflage » nous attendaient pour traverser la jungle en convoi avant de rejoindre nos tentes.

Des tentes, certes, mais qui sont à la canadienne ce que le château de Versailles est au pavillon de banlieue. Conçues par le designer Jean-Michel Gathy, chacune comprend un salon avec un bureau, de grands placards, des lavabos doubles, une douche avec l'eau courante chaude et froide, et des toilettes séparées. On est presque gêné de constater que, de surcroît, les tentes sont climatisées. À l'arrivée, ce luxe apparaît comme une concession consentie à des citadins trop gâtés. Mais après une journée d'aventures dans la moiteur équatoriale, une bonne nuit de sommeil au frais dissipe toute culpabilité. Devant tant de confort, on pourrait se demander pourquoi ne pas avoir construit des bungalows en dur. La réponse est simple : aussi somptueuses soient-elles, les tentes sont plus respectueuses de l'esprit de l'île. Dans cette parcelle de jungle tropicale intacte, les abris de toile préservent au moins l'illusion que l'intrusion dans ce paradis est temporaire.

Les lève-tôt s'amuseront à observer des familles entières de singes : pendant que les parents cherchent de la nourriture, les petits font du trampoline sur les tentes inoccupées.

Un campement digne des maharadjahs :
les tentes de l'Amanwana sont simples,
spacieuses et confortables.

La marée basse découvre un récif de corail,
à un mètre du rivage.

Les étranges sculptures disséminées
sur le site rehaussent encore le subtil
cocktail de luxe et de nature à l'état pur.

Ce bassin illustre l'hommage que
l'architecture rend au cadre naturel.

Chaque tente abrite
un dressing et une salle de bains.

Parmi les bateaux disponibles,
les embarcations les plus lentes et les plu
traditionnelles sont les préférées des client

À une heure et demie de l'île de Sumbawa,
Moyo n'est accessible que par bateau.

Un pavillon à toit de chaume de style
indonésien traditionnel
abrite la salle à manger et le bar.

Une réserve naturelle se passe de paysagist
Toutefois, le site a été rehaussé de touches
originales comme ces poteries anciennes.

Amanwana accueille tout au plus quarante
clients, pour cent trente-cinq employés.

Réserve naturelle,
l'île Moyo est quasiment inhabitée.

La jungle baigne tout le site dans un halo
vert et rend les températures supportables.

Un salon dans une tente n'est pas aussi
superflu qu'il y paraît : climatisé, il offre
un refuge bienvenu contre la chaleur.

Toutes les tentes sont identiques. La seule
différence réside dans leur emplacement,
en bord de plage ou en lisière de jungle.

Contrairement à la climatisation,
qui reste un choix personnel,
les moustiquaires sont irremplaçables.

Installées à l'ombre de grands arbres, les
ntes sont noyées dans leur environnement.

À l'extrémité de la baie, une plate-forme
en bois est le seul vestige du débarcadère
balayé récemment par un cyclone.

L'île est réputée pour ses fabuleux couchers
de soleil, surtout à la saison des pluies.

Durant la saison sèche, des cerfs pénètrent dans le campement pour y paître. À quelques pas des tentes, la lagune cache un récif de corail peuplé de bancs de poissons tropicaux. Ici, il suffit de plonger la tête sous l'eau pour découvrir d'extraordinaires paysages sous-marins. Plus loin dans la lagune vit une famille de tortues marines. La mer réserve aux plongeurs plus expérimentés des rencontres de taille : à quelques mètres de la plage, le récif plonge vers les profondeurs, telle une falaise sous-marine, recelant un monde plus sombre et plus exotique encore, peuplé de requins, de pieuvres géantes et de raies mantas.

À l'Amanwana, tout concourt à aider les visiteurs à explorer la nature. Une école de plongée dispense même des cours de photographie sous-marine. Voile, pêche au gros : dix-neuf bateaux exaucent tous les souhaits aquatiques des clients, tandis que des quatre-quatre ouverts les conduisent jusque dans les coins les plus reculés de l'île.

À Moyo, le spectacle de la nature occupe à plein temps. Pas étonnant, donc, que l'ambiance soit particulièrement calme en fin de journée. La cuisine est exquise – le petit déjeuner, le déjeuner et le dîner sont servis dans un pavillon indonésien traditionnel à toit de chaume – et le service irréprochable. Avec 135 employés pour 40 clients tout au plus, ces derniers peuvent voir leurs moindres souhaits exaucés : petit déjeuner dans leur tente, dîner aux chandelles sur la plage autour d'un feu de camp, ou massage au centre de soins. Mais ici, on ne fait pas la fête jusqu'au bout de la nuit : à dix heures, tous les clients ont rejoint leurs tentes.

Luxe et simplicité, dans un cadre naturel d'une beauté à couper le souffle. Difficile d'imaginer plus dépaysant.

Adresse : Amanwana, Moyo Island, West Sumbawa Regency, Indonésie
Téléphone : (62) 371 222 33 - **Fax** : (62) 371 222 88
Chambres : à partir de 590 $

Cotton House

Moustique, aux Grenadines, est une ancienne plantation de canne à sucre. Aux XVIIe et XVIIIe siècles, cette culture lucrative attira les puissances coloniales dans les Caraïbes : il y avait des terres et du soleil à profusion, ainsi qu'une population locale, les Karibs, que l'on pouvait aisément réduire en esclavage au motif qu'ils étaient cannibales. Une fois les Karibs épuisés, des esclaves furent amenés d'Afrique pour poursuivre ce travail éreintant. Jusqu'à ce que les gigantesques plantations de canne à sucre asiatiques supplantent celles des Antilles. Aujourd'hui, les bâtiments de la plantation, moulin à vent et entrepôt compris, ont été restaurés et constituent le cœur de la Cotton House.

S'il s'agit d'une ancienne plantation sucrière, direz-vous, pourquoi l'endroit s'appelle-t-il Cotton House ? Dans les années cinquante, cette île broussailleuse de sept kilomètres carrés, au sud de Saint-Vincent, brûlée par le soleil, n'était plus habitée que par une poignée de pêcheurs avec leurs familles. Jusqu'à ce que le jeune Colin Tennant, alias lord Glenconner, s'en entiche. Ce rejeton d'une riche famille aristocratique écossaise se rendit aux Petites Antilles pour y inspecter diverses propriétés familiales.

Il entendit alors parler d'une île à vendre et sauta dans le premier bateau postal. Bien qu'escarpée et inhospitalière, l'île embrasa son imagination. Il envoya sur-le-champ un câble à son père pour l'informer qu'il comptait s'en porter acquéreur. Ce dernier n'y voyait pas d'inconvénients, à condition qu'il y ait de l'eau douce. Il n'y en avait pas une goutte, ce qui n'empêcha pas le jeune lord de payer 45 000 livres sterling (une petite fortune en 1959).

Débordant d'enthousiasme, Tennant commença par y planter (à grand frais) du coton. Contrairement à toute attente, il parvint à obtenir une récolte, qui devait toutefois rester unique dès lors que ses comptables eurent calculé que chaque chemise tissée avec son précieux coton revenait à environ 3 000 livres sterling !

Inébranlable, Tennant consacra son imagination extravagante à la création d'un paradis terrestre pour sa famille et ses amis. À cette époque, personne n'avait entendu parler de cette île. Elle gagna soudain en renommée lorsque lord Glenconner offrit, en cadeau de mariage, une parcelle de terrain à la princesse Margaret

La « great house », qui abrite le salon, la salle à manger et le bar, est l'ancien entrepôt de la plantation sucrière.

Soieries indiennes, housses de coton blanc et chaises coloniales en bois sombre, c'est toute l'élégance décontractée des Caraïbes.

Les clients sont logés dans des petites villa éparpillées sur le domaine.

Dans la plus pure tradition coloniale, le dîner est servi sur la véranda de la « great house ».

Le décorateur de théâtre Oliver Messel a été chargé de dessiner les plans du pavillon de la piscine, appelé « Messel's Folly ».

Les fenêtres à petits bois surmontées d'impostes en demi-cercle sont caractéristiques de la décoration de Messe

Situé entre l'Ansecoy Bay et l'Endeavor Bay, le domaine occupe le plus bel emplacement de Moustique.

L'éclectisme colonial de la décoration se retrouve dans les moindres détails, comme sur ce coussin en velours, au décor exotique.

L'école de plongée est spécialisée dans les cours pour grands débutants.

La Coutinot House possède une terrasse panoramique qui donne sur l'Endeavor Bay.

Derrière le moulin, le Baliceau Cottage, avec ses quatre suites, domine la côte atlantique accidentée de l'Ansecoy Bay.

L'armoire incrustée de coquillages de la « great house » est typique des excentricités d'Oliver Messel.

L'école de plongée de la Cotton House est installée dans une cabane typique des Caraïbes, sur la plage d'Endeavor Bay.

Depuis plus de vingt ans, le Monkey Bar est le lieu de rendez-vous du « tout-Moustique ».

Le balcon de la Coutinot House donne sur la mer des Caraïbes, si paisible comparée aux plages de l'Atlantique chères aux surfeurs.

La Cotton House est meublée dans un style colonial classique : lin, coton, meubles en rotin et parquets cirés.

Vestige de l'ancienne plantation de canne à sucre, le moulin de pierre se dresse toujours sur le site.

Sans être guindée, l'ambiance de la « great house » est encore tout empreinte d'un passé élégant.

(une parente éloignée). Il n'y avait alors ni routes ni électricité (elle ne fut installée qu'en 1972). Toutefois, la Mustique Company, nouvellement fondée, construisit rapidement un hôtel.

Doté d'épais murs de pierres et d'une véranda typique, l'imposant entrepôt accueillit la salle à manger, la salle de bal et le célèbre Monkey Bar. Dans la plus pure tradition coloniale, les personnes jugées indésirables étaient priées de s'éclipser le soir, pendant que les clients s'habillaient élégamment pour dîner et assister aux spectacles orchestrés par l'incroyable Tennant. Attirées par l'intimité que promettait Moustique, par son climat au beau fixe (hors de portée des ouragans) et par ses plages superbes, quantité de célébrités ont succombé au charme des lieux. Mick Jagger, David Bowie et Tommy Hilfiger comptent parmi les heureux élus (contrairement à l'Agha Khan et au chah d'Iran qui, dit-on, auraient été refusés).

Campée sur un promontoire qui sépare l'Ansecoy Bay, battue par les vents, des eaux paisibles et vertes de l'Endeavor Bay, la Cotton House regroupe des villas dispersées sur un domaine verdoyant et qui disposent toutes d'une vue magnifique. Les amateurs de surf et de plongée avec tuba n'ont que quelques pas à faire pour rejoindre la mer.

Cette île, qui connut des heures mouvementées et des fêtes débridées, présente aujourd'hui une physionomie intacte, fruit d'intenses efforts. Les hélicoptères y sont interdits. La piste d'atterrissage n'accueille pas d'avions de plus de six places et l'aéroport, tout comme l'église voisine, est en bambou. Il n'y a quasiment pas de circulation : tout le monde se déplace en buggies de golf. Le bruit, comme tout le reste, fait l'objet d'une surveillance intense. Il semblerait que le paradis exige une planification des plus minutieuses…

Adresse : Cotton House, PO Box 349, Moustique, Saint-Vincent

Téléphone : (1) 784 456 47 77 - **Fax** : (1) 784 456 58 87

Chambres : à partir de 590 $

Pousada de Nossa Senhora da Assunção

Le Portugal sans monastères serait comme la France privée de ses châteaux. Malheureusement, tous ces établissements religieux n'ont pas conservé leur physionomie d'origine : nombre d'entre eux ont souffert au XIXe siècle, quand l'Église perdit son influence avant d'abandonner ses terres. Quelques superbes monastères furent alors achetés par des particuliers qui les convertirent en résidences secondaires. Ceux-là échappèrent au pire. Quantité d'autres ont été laissés à l'abandon, tombant lentement en décrépitude. Sans le programme original mis en place par l'État portugais, ils auraient totalement disparu.

Les *pousadas* du Portugal appartiennent à un réseau hôtelier national qui s'attache à restaurer des bâtiments historiques, préserver les valeurs régionales et développer un tourisme culturel. Que tous ceux qui doutent que des autorités publiques puissent relever ce défi avec élégance et efficacité viennent admirer la Pousada de Nossa Senhora da Assunção. Installé dans une vallée, sous la vieille ville d'Arraiolos, dans les plaines écrasées de soleil de l'Alentejo, à une centaine de kilomètres de Lisbonne, cet imposant bâtiment était à l'origine une propriété privée. Les maîtres des lieux n'ayant pas d'héritiers, elle fut léguée à l'ordre de Saint-Jean-l'Évangéliste, dont les membres étaient aussi appelés « Chanoines bleus » en raison de la couleur de leur habit. Mariant l'architecture manuéline et le style Renaissance portugais, le monastère fut fondé en 1527, le jour de l'assomption de la Sainte Vierge. Puis il redevint une propriété privée après l'abolition des ordres religieux, en 1834. La famille Mexia Lobo Côrte-Real, originaire de l'Alentejo, en fit une demeure de vacances, qui fut cédée à l'État portugais en 1983. L'ancien monastère était alors une véritable ruine.

On ne peut que féliciter le gouvernement portugais d'avoir confié la restauration des lieux à l'architecte José Paulo Dos Santos, qui a fait preuve d'une grande humilité. Grâce à lui, cette magnifique pousada est restée fidèle à l'atmosphère sereine du monastère. Élégante et propice à la méditation, sa décoration minimaliste ne détonnerait pas dans les hôtels les plus branchés de New York, Londres ou Paris. Pourtant, elle paraît encore plus à sa place ici, au cœur de la campagne portugaise.

Les matériaux utilisés pour la rénovation – granit, calcaire et plâtre – sont ceux de la construction d'origine. Le mobilier des chambres obéit lui aussi à la longue tradition monastique de simplicité et de fonctionnalité. Nombre de plafonds en stuc, de reliefs sculptés et d'arcades sont peints en bleu, aux couleurs des chanoines. L'intérieur de l'établissement est ponctué de gigantesques jarres en terre cuite. Au dehors, les cours rappellent la richesse agricole des plaines de l'Alentejo. Les paysages des alentours alternent les prairies, où paissent des chevaux, et les oliviers cultivés pour leur huile.

Résolument sobre et moderne, le travail de José Paulo Dos Santos sublime l'atmosphère spirituelle et l'espace de l'ancien monastère, sans aucune austérité. Ici, seul le calme est monastique. Ce labyrinthe de salles voûtées abrite deux restaurants et un bar. La cuisine est excellente, ce qui est étonnant si l'on songe que l'endroit est géré par l'État. À midi, la carte propose par exemple du fromage frais, nappé de sauce à la menthe, et du poisson grillé aux herbes. En été, plusieurs cours reçoivent les convives pour un dîner en plein air. Une grande piscine bordée de pierre trône sur une terrasse qui donne sur la campagne. Les chambres spacieuses sont agrémentées de parquets, de salles de bains en marbre, de meubles modernes et de coussins en lin. D'ici, on n'aperçoit pas la moindre autoroute ou le moindre pylône électrique, ni rien qui vienne rompre l'harmonie de l'atmosphère. Chênes et oliviers se succèdent sur les collines à perte de vue.

Véritable réussite en matière de restauration, la Pousada de Nossa Senhora da Assunção démontre non seulement que les décors modernes et anciens se marient parfaitement, mais aussi que l'État peut passer maître dans l'art de recevoir.

Adresse : Pousada de Nossa Senhora da Assunção, 7040 Arraiolos, Portugal

Téléphone : (351) 66 41 93 40 - **Fax** : (351) 66 41 92 80

Chambres : à partir de 100 €

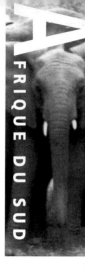
Singita

Une décoration contemporaine, un centre de remise en forme, une cuisine exquise et une cave de plus de 12 000 bouteilles : voilà qui est à mille lieues des safaris habituels. Mais c'est précisément ce qui attend les clients du Singita : le plaisir de l'aventure sans rien sacrifier de leur confort.

Installé en lisière du célèbre parc national Kruger, dans la Sabi Sand Reserve, le Singita est à une heure et quart d'avion de Johannesburg. Mais le vol qui vous y conduit n'a rien à voir avec les correspondances habituelles. Il y a fort à parier que vous survolerez des troupeaux de buffles et d'éléphants, et que le pilote s'excusera du brusque écart qu'il a dû faire pour éviter un vautour. Le safari se poursuit entre la piste d'atterrissage et la réserve de Singita. De la route, on aperçoit des impalas, des zèbres ou des buffles d'eau. Lions et léopards préfèrent, quant à eux, chasser la nuit ou dans la fraîcheur du crépuscule.

Le Singita regroupe deux *lodges* installés sur les rives de la Sand River, à environ un kilomètre l'un de l'autre. Ebony Lodge est décoré en style colonial début de siècle, avec d'imposants fauteuils en cuir, tandis que Boulders Lodge présente un cadre plus contemporain. Le Boulders compte neuf *guest houses* (toutes climatisées, il va de soi), disposant chacune d'un salon, d'une cheminée à double ouverture et d'une piscine privée. Les salons de l'hôtel sont spacieux, avec des sols sombres en béton poli, d'imposants fauteuils recouverts de housses de lin blanc et de grands coussins en tissus africains traditionnels.

Cet endroit est si délicieusement luxueux, si confortable et si accueillant qu'il inciterait à ne rien faire. Tiraillé entre l'appel de la brousse et l'envie irrépressible de faire une petite sieste, l'hédoniste se trouve face à un choix cornélien. Que l'on arrive finalement à faire sortir les clients de leurs huttes somptueuses tient du miracle (d'ailleurs, Singita ne signifie-t-il pas « miracle » en shangaan, la langue locale ?).

Le Singita passe pour la plus prestigieuse réserve privée d'Afrique. Couvrant 19 000 hectares dans le Sabi Sand, elle est peuplée de girafes, de lions, de léopards, d'éléphants, de rhinocéros et de zèbres (pour ne citer que quelques espèces). Tous peuvent être chassés (par les chasseurs d'images exclusivement) à pied ou en véhicule ouvert, en compagnie d'un garde forestier et d'un traqueur shangaan expérimentés. Les excursions en Land-Rover sont limitées à six participants. Grâce à un réseau de contacts radio, le garde sait où se trouvent les animaux. Tout est fait pour permettre aux visiteurs d'admirer la faune et la flore africaines de très près. Et parfois même d'un peu trop près. Attendez-vous à entendre hurler : « Il y a un hippopotame sur la pelouse ! » À la tombée de la nuit, ces imposants pachydermes viennent paître sur le site. Le garde-chasse qui escorte les clients de leur suite jusqu'au *boma* (l'endroit entouré de palissades en roseaux où se déroule le dîner en plein air) n'est peut-être pas aussi superflu qu'il y paraît…

Mais, avec toutes ces piscines privées, ces repas gastronomiques, ces massages en plein air sur votre terrasse avec vue sur le bush, comment trouver le temps de faire un safari ?

Pas d'inquiétude : il y a fort à parier que, dès le premier jour, vous serez réveillé à une heure qui d'ordinaire vous semblerait indue. Ne songez pas une seconde à rester au fond de votre lit, vous le regretteriez : l'aurore et le crépuscule sont les deux moments de la journée où le veld s'anime. Non seulement vous verrez peut-être une girafe mettre bas ou des lions s'accoupler, mais vous pourrez aussi deviser autour d'un petit déjeuner servi dans le bush, avec champagne, œufs brouillés cuits au feu de camp, cuissots d'impala fumés, saucisses d'élan, fraises et miel dans ses rayons de cire.

Quel que soit le nombre de documentaires animaliers que vous avez vus, rien ne saurait rivaliser avec la montée d'adrénaline que provoque la nature africaine observée en direct. Et aucune débauche de luxe et d'attentions ne saurait en atténuer l'émotion.

Adresse : Singita Private Game Reserve, Ground Floor, PGBI House, 53 Autumn Road, Rivonia, Sandton 2128, Afrique du Sud

Téléphone : (27) 11 234 09 90 - **Fax** : (27) 11 234 05 35

Chambres : à partir de 3 400 rands

Casa de Carmona

Au fil de son histoire cinq fois millénaire, Carmona vit se succéder, entre autres conquérants, les Phéniciens, les Carthaginois et les Romains. Elle est gardée par l'une des plus anciennes portes romaines de tout l'Empire. Malgré son prestigieux passé latin, Carmona connut son véritable apogée durant les huit siècles de présence maure dans le sud de l'Espagne. Parmi les régions conquises par les fidèles de Mahomet, c'est El Andalus, avec Séville, Cordoue et Grenade, qui vit émerger la culture arabe la plus éclairée. Alors que la majeure partie de l'Europe était encore plongée dans les ténèbres du Moyen Âge, l'Espagne maure voyait fleurir les sciences, l'architecture et les arts. Les mathématiques, la musique et des artisanats de précision prospérèrent. Potiers et céramistes de talent, les Maures produisirent des carreaux multicolores dont l'importance dans l'architecture mauresque n'est plus à démontrer. Le Coran interdisant la représentation d'êtres vivants, l'art musulman se fit géométrique.

Toutefois, cet âge d'or de la culture arabe ne dura pas. Après plusieurs siècles de guerre contre les infidèles, le Nord castillan – représenté par les Rois catholiques, Isabelle et Ferdinand – réussit à bouter les Maures hors d'Espagne. El Andalus appartenait au passé. Des vestiges de cette splendeur ont été préservés dans un palais maure restauré au cœur de Carmona, qui n'est désormais plus qu'un paisible village blanchi à la chaux, à une demi-heure de route au nord de Séville.

Quand, à la fin des années quatre-vingt, Doña Marta Medina, historienne d'art et architecte appartenant à l'une des plus vieilles familles aristocratiques de Séville, acheta ce palais du XVIᵉ siècle qui tombait en ruines, elle n'avait aucunement l'intention d'en faire un hôtel. Elle comptait en habiter une partie, laissant le reste à l'état de « superbe ruine ». L'Exposition universelle de Séville, en 1992, changea ses projets. Elle s'attela à une tâche titanesque : la restauration de tout le bâtiment pour en faire un petit hôtel de luxe.

Au dire de Doña Marta, la construction d'un nouveau palais aurait été une tâche plus aisée. Composés de gigantesques blocs de pierre, les murs ne se prêtaient que très moyennement à la mise en place d'équipements modernes

Détail du portail d'entrée clouté
de la Casa de Carmona, en Andalousie.

Fidèle à la tradition maure,
la piscine est installée dans une cour à part.

Résolument espagnole,
l'imposante porte d'entrée donne le ton.

Autrefois, la cour antérieure permettait
aux attelages de faire demi-tour.

À elle seule, l'envergure de la cage
d'escalier révèle la splendeur
de cet ancien palais de la noblesse maure.

Les voûtes de la serre, dont
les larges fenêtres donnent sur la piscine.

Longues, étroites et hautes de plafond, les
salles d'apparat (ici le salon de musique)
sont disposées autour de la cour principale.

L'ocre et le rouge brique, deux couleurs
chères aux Romains comme aux Maures.

L'hôtel est situé dans le centre même
de Carmona, l'une des plus anciennes villes
du sud de l'Espagne.

Le grand appartement est l'un
des hébergements proposés aux clients.
Il sert aussi de salle de réunion.

Le majestueux escalier mène
de la cour principale au premier étage,
où trônent les balcons.

En été, le petit déjeuner est servi dans
la serre bordant la piscine.

D'immenses jarres en terre cuite
témoignent de la richesse que la région tirait
jadis des plantations d'oliviers.

Cette statue classique ornant la réception
rappelle que Carmona fut l'une des
principales villes romaines d'Espagne.

Sombre et paisible, la bibliothèque accueille
les clients pour l'apéritif.

Doña Marta Medina, architecte d'intérieur,
fait venir d'Angleterre tous les accessoires
des salle de bains.

Cette partie de la bibliothèque donne
sur la cour où se trouve la piscine.

Dès le portail d'entrée, on découvre
une première série de cours.

(détecteurs de fumée, extincteurs automatiques d'incendie et autres conduites de climatisation), sans parler de la construction d'une trentaine de salles de bains. Néanmoins, après une série de contretemps et de tracasseries administratives, le projet fut achevé juste à temps pour l'Exposition.

La Casa de Carmona est donc un authentique petit palais. C'est la meilleure – et la seule – définition que l'on puisse en donner. Les peintures, le mobilier et les moindres détails décoratifs affichent la splendeur propre aux riches demeures de famille. On imagine aisément la noblesse andalouse vivant dans ce décor regorgeant d'œuvres d'art et d'antiquités. Les cours et les jardins, les pièces étroites et hautes de plafond, les mosaïques et le rouge brique lumineux des murs contribuent à en faire un lieu d'exception. Ce décor allié à la puissante architecture maure donne au visiteur l'impression fabuleuse de toucher du doigt l'une des plus grandes cultures du monde. Passionnée par El Andalus, Doña Marta Medina déplore le manque d'attention dont souffre l'héritage architectural des Maures. Soucieuse de redresser ce tort, elle a créé un lieu de séjour magique et envoûtant. Disposant d'une piscine, d'une cour verdoyante, d'une bibliothèque, et d'un restaurant servant de succulentes spécialités andalouses, comme le gaspacho, le client risque fort d'être trop occupé pour profiter de l'extraordinaire emplacement de Carmona. Séville n'est en effet qu'à trente kilomètres. Le site de la célèbre Mezquita, Cordoue, est à une heure de route, de même que le parc national de Doñana, avec ses plages sauvages et son sanctuaire naturel. La Casa de Carmona est une excellente base pour rayonner en Andalousie. Et aussi un endroit idéal pour s'adonner à l'oisiveté, dans le plus grand raffinement.

Adresse : Casa de Carmona, Plaza de Lasso 1, 41410 Séville, Espagne

Téléphone : (34) 5 419 10 00 - **Fax** : (34) 5 419 01 89

Chambres : à partir de 108 €

Hacienda Benazuza

Cette hacienda qui existe depuis le Xᵉ siècle est l'un des plus grands domaines du sud de l'Espagne. Fondée au temps des Maures, qui plantèrent 15 000 oliviers et figuiers sur 2 000 hectares de terres dominant la plaine fertile de Séville, la propriété vit sa prospérité perdurer grâce à Ferdinand III. Canonisé sous le nom de Ferdinando el Santo, ce roi, qui reconquit Cordoue et Séville passées aux mains des Maures, eut l'intelligence de poursuivre leur œuvre.

Le terme d'*hacienda* remonte lui aussi à l'époque des Maures, où l'architecture des fermes était dictée par le type de culture que l'on y pratiquait. Les propriétés dotées d'oliveraies se distinguaient par leur tour (qui permettait de dominer les arbres pour surveiller les terres), tandis que les *cortijos*, les fermes céréalières, étaient plus basses. Les anciennes haciendas de Séville témoignent d'une architecture rurale fascinante.

Lorsqu'Alfonso X, le fils de Ferdinand, hérita de la propriété, il confia Benazuza à un ordre de croisés, les chevaliers de Saint-Jacques. Le site accueillit un monastère jusqu'au XVIᵉ siècle, puis Charles Iᵉʳ d'Espagne, en quête de fonds pour financer ses campagnes contre l'Italie et la Turquie, le vendit au duc de Bejar, en 1539. Ce dernier le loua à Francisco Duarte, fournisseur des armées et marines impériales. La famille Duarte y resta trois siècles. C'est à cette époque que Felipe IV conféra au maître du domaine le titre de comte de Benazuza, du nom d'une longue lignée de princes sarrasins qui y vécurent durant sept siècles, avant la reconquête chrétienne.

Ce n'est qu'au XIXᵉ siècle, avec la Révolution industrielle et la mécanisation du travail, que la prospérité qui avait permis à cette très nombreuse communauté d'exister durant des siècles comme une puissance quasi-indépendante se mit à décliner. Seules les haciendas qui réussirent leur reconversion survécurent. Benazuza eut de la chance : le domaine fut vendu à la famille de Pablo Romero, qui élève les meilleurs taureaux de combat du pays.

Aujourd'hui, l'hacienda Benazuza a tourné une nouvelle page de son histoire mouvementée : elle abrite désormais un hôtel cinq-étoiles, à 20 minutes de route de Séville. La splendeur

L'hacienda Benazuza fut
une oliveraie prospère, ce qu'atteste
la taille de sa chapelle.

Le mobilier est typique des *fincas*, ou fermes,
andalouses : sobre, massif et masculin.

Les murs blanchis à la chaux, rehaussés
de touches d'ocre ou de rouge, sont
caractéristiques du sud de l'Espagne.

Le bâtiment où l'on pressait autrefois huile d'olive abrite désormais la réception et le salon de l'hôtel.

L'influence maure est toujours manifeste sur les bâtiments andalous – et même, paradoxalement, sur les églises.

Les poutres en chêne, les coussins rouges et les murs en crépi rendent hommage au style d'El Andalus.

de son architecture témoigne de son riche passé. Ses nouveaux propriétaires ont su résister à la tentation d'étouffer l'ancienne ferme sous le luxe. L'église a été restaurée avec soin, les écuries sont quasiment inchangées, la cour et les allées ont été pavées dans un style rustique, fidèle à l'histoire de la propriété. Son long passé d'oliveraie est rappelé par d'anciens outils utilisés comme éléments décoratifs. Les broyeurs, les pots et les cuves servant au pressurage et à la conservation de l'huile trônent tels des sculptures dans les cours et les salons. L'imposante meule en pierre, les cylindres de cuivre utilisés pour transporter le précieux liquide au marché, les instruments de pesée et les gigantesques jarres de terre cuite sont artistiquement disposés, côtoyant de confortables fauteuils. Fort heureusement, il n'y a pas une seule plaque explicative…

Les haciendas n'ont jamais abrité un mobilier très riche. Ce privilège était réservé aux palais des villes. Ici, dans le *campo*, la fonctionnalité et la simplicité étaient de mise. Sols pavés de carreaux de terre cuite, murs blanchis à la chaux sur lesquels éclatent des touches d'ocre, et mobilier massif en bois sombre, tels sont les éléments décoratifs de l'hacienda andalouse typique. Le luxe est ailleurs, dans l'espace, la sérénité, l'ombre, la fraîcheur et le jardin d'agrément, autre legs de la culture arabe.

La clientèle de l'hacienda Benazuza est en grande partie espagnole. À l'instar de l'architecture, la table est simple mais raffinée. Outre des spécialités andalouses, le chef propose un menu de saison (pendant mon séjour, il y avait du gibier). La cuisine du Benazuza jouit d'une solide réputation, et les Sévillans n'hésitent pas à venir ici pour s'en délecter. Si vous trouvez la salle à manger déserte à dix heures du soir, c'est tout simplement que les dîneurs espagnols ne sont pas encore arrivés…

Adresse : Hacienda Benazuza, 41800 Sanlúcar la Mayor, Séville, Espagne

Téléphone : (34) 95 570 33 44 - **Fax** : (34) 95 570 34 10

Chambres : à partir de 234 €

Ice Hotel

La brochure de l'hôtel parle du plus grand igloo au monde. Ce qui est tout à fait exact sur le plan technique : cette structure digne d'un conte de fées, trônant dans les paysages hivernaux suédois, au nord du cercle polaire arctique, est un fascinant exemple de construction en neige et en glace. Néanmoins, il ne s'agit pas d'un abri esquimau, mais bien d'un véritable palais taillé dans les glaces cristallines.

Les chiffres sont parlants : l'Ice Hotel couvre 4 000 mètres carrés et peut accueillir jusqu'à 100 clients. On y trouve l'Absolute Ice Bar, un terrain de curling couvert, un cinéma de glace (spécialisé dans les films d'aventures polaires), une plate-forme panoramique (où les chanceux pourront admirer l'aurore boréale), un jardin de sculptures et une galerie de glace, sans oublier une chapelle de glace très prisée pour les baptêmes et les mariages. Tout cela exige environ 30 000 tonnes de neige et 5 000 de glace… chaque hiver, car quand vient le mois de mai, tout fond au soleil.

Le matériau de construction utilisé n'a pas grand-chose à voir avec les glaçons sortis de votre congélateur. Colonnes, armatures de lits, sièges de cinéma, fenêtres et autres lustres éclairés à la fibre optique sont taillés dans la glace de la Torne, une rivière qui coule non loin de là. Soumise à une pression constante à mesure qu'elle se forme, la glace d'un cours d'eau en mouvement possède une solidité qui lui permet de servir de matériau de construction.

Néanmoins, même si sa décoration est bien plus raffinée, l'Ice Hotel n'en fonctionne pas moins comme un igloo. Arne Bergh, créateur de l'Ice Hotel, vous le dirait : la neige est un excellent isolant, et un matériau qui respire. Même si, dehors, le mercure chute à - 40 °C ou grimpe à 5 °C, la température intérieure reste constante, entre - 4 et - 7 °C.

Mais qu'est-ce qui pousse un voyageur sain de corps et d'esprit à aller à un endroit où il fait - 5 °C ? La réponse est simple : il n'y a rien, absolument rien au monde qui soit comparable à cet hôtel. La beauté de l'endroit est à couper le souffle. Selon le temps et l'heure, la couleur de la glace change. Et chaque année au printemps, le palais tout entier fond, retournant à la rivière qui lui a donné naissance. Même les plus cyniques

admettront la pure poésie de ce cycle.

Et comment vit-on dans ce palais de glace ? Étonnamment, le lieu est plus convivial qu'on pourrait le supposer. Les Suédois assurent que quelqu'un qui a froid est quelqu'un qui ne porte pas les vêtements adéquats. Il est vrai qu'on est parfaitement à l'aise à l'Absolute Ice Bar, sirotant une vodka servie dans un bloc de glace évidé, pour peu que l'on porte une épaisse combinaison de ski (vêtements, bottes et gants sont fournis par les aimables *igloo guides* de l'hôtel). Résultat : tous les clients ressemblent à de gros nounours.

Dans les chambres, on dort sur d'imposants blocs de glace couverts d'épaisses peaux de renne. Les sacs de couchage polaires permettent de supporter une température qui tient davantage de la chambre froide que de la chambre à coucher. Des dizaines de bougies diffusent leur lumière. L'ambiance paraît romantique en diable. Toutefois, oubliez toute velléité coquine : véritables sarcophages matelassés, les sacs de couchage sont prévus pour une seule personne. Au réveil, vous savourerez une tasse de jus de baie chaud qu'un *igloo guide* souriant vous aura apporté au lit.

Et qu'y a-t-il à faire là-bas ? Une foule de choses. L'hôtel se trouve en Laponie suédoise, terre des Samis, où des paysages blancs et sauvages s'étendent à perte de vue. C'est l'endroit rêvé pour faire des safaris en *snowmobile*, du ski de fond, du ski de descente, de la pêche et des excursions en traîneau tiré par des chiens. L'hiver y dure de novembre à avril, et les activités sont parfaitement organisées. En Suède, la Laponie est une destination très prisée, desservie par des vols réguliers depuis Stockholm. Les Suédois semblent avoir régulièrement besoin d'une débauche de glace et de neige, comme d'autres de plage et de soleil.

Adresse : Ice Hotel, Marknadsvägen 63, S-981 91 Jukkasjärvi, Suède

Téléphone : (46) 980 668 00 - **Fax** : (46) 980 668 90

Chambres : à partir de 850 couronnes suédoises

Ngorongoro Crater Lodge

« C'était l'Afrique distillée sur 2 000 mètres, telle l'essence puissante et raffinée d'un continent… Le regard portait infiniment loin, tout n'était qu'immensité, liberté et noblesse. » Dans *Out of Africa*, Karen Blixen décrit à merveille le cratère du Ngorongoro, en Tanzanie.

Les vestiges de ce volcan éteint, âgé de presque trois millions d'années, abritent l'un des plus beaux sanctuaires naturels au monde. Le rhinocéros noir, en voie de disparition, vit dans la forêt tropicale qui cerne le cratère. Des éléphants armés de défenses interminables peuplent toujours les forêts qui tapissent les versants, des lions à crinière noire chassent dans les prairies, et des flamants roses se pressent dans les eaux riches en soude des lacs éparpillés dans ce cratère d'une quinzaine de kilomètres de diamètre. Mais, par-dessus tout, ce monument naturel nous bouleverse au plus profond de nous-même, parce que c'est ici que l'homme s'est dressé sur ses jambes pour la première fois. La beauté et la noblesse des guerriers massaï, grands, fiers, majestueux et vêtus de couleurs aussi chatoyantes que les paysages, rendent hommage à ce moment clé de l'histoire des hommes.

Au dire de la Conservation Corporation Africa, le volcan incarne « l'Afrique de vos rêves les plus fous ». Fondée voici quatre ans, cette société a travaillé d'arrache-pied pour transformer le rêve en luxueuse réalité : installé en bordure d'un cratère de 500 mètres de profondeur, le nouveau Ngorongoro Crater Lodge a rouvert ses portes en octobre 1998, à l'issue de travaux qui ont coûté sept millions de dollars. Trois cent cinquante Tanzaniens ont participé à la construction d'un hôtel qui rivalise de richesse et d'originalité avec son cadre naturel. Les panneaux ornant les lits, les portes et les murs sont l'œuvre de trente artisans venus de Zanzibar. Des femmes tanzaniennes ont assemblé les lustres africains et doré les moulures des murs. Quant au travail traditionnel du métal, il a été réalisé par des Massaïs.

En pleine nature, le visiteur découvre un véritable palais, foisonnant, excessif, excentrique, regorgeant de tapis persans, de fauteuils en cuir, de rideaux en soie, de lits à baldaquins, de baignoires à pieds émaillées et de miroirs sertis de cadres dorés. Le magazine *Elle* a qualifié ce décor de « baroque ethnique ». En lisière d'un gigantesque sanctuaire naturel, la présence de lustres en cristal et de damas français peut paraître incongrue, mais elle est fidèle à la tradition coloniale : les voyageurs ne se déplaçaient autrefois en Afrique qu'avec un lourd attirail. Au début du siècle, un explorateur britannique travaillant pour la Royal Geographical Society, lord Delamere, qui voyageait en Afrique, vécut dans des huttes massaï décorées de mobilier victorien et d'objets d'art éclectiques. À chaque suite du Ngorongoro est attaché un *butler* personnel, qui vous sert le thé au lit, entretient le feu de votre cheminée (la nuit, la température chute à 10 °C) et fait couler votre bain.

L'architecture du Ngorongoro Crater Lodge, due à Silvio Rech et Lesley Carstens, est inspirée des *manyattas*, les huttes de terre traditionnelles des Massaïs. Perché en bordure d'un site classé au patrimoine mondial de l'humanité, l'hôtel compte trente chambres, réparties sur trois camps (North Camp, South Camp et Tree Camp, plus isolé), qui donnent toutes sur le cratère. Derrière leurs grandes fenêtres passent des nuages imposants, des tourbillons de brumes, des arcs-en-ciel ou des averses dues à l'altitude de 2 500 mètres.

Les voyageurs qui sont allés en Tanzanie vous le diront : les paysages sont rudes, les distances considérables, mais le spectacle inoubliable. Deux fois par jour, des excursions mènent au cœur du cratère pour un safari. L'endroit est sombre, changeant et inquiétant. Mais c'est précisément sa beauté singulière qui rend l'Afrique irrésistible. Comme le dit l'héroïne tragique de *Out of Africa :* « Le matin, on s'éveillait sur les hauteurs en pensant : me voici là où j'ai toujours désiré être. »

Adresse : CCAfrica, Private Bag X27, Benmore 2010, Afrique du Sud
Téléphone : (27) 11 775 00 00 - **Fax** : (27) 11 784 76 67
Chambres : à partir de 400 $

Amanpuri

L'Amanpuri a été créé – devrais-je dire inventé ? – par un homme qui n'aime pas les hôtels. Quand Adrian Zecha acheta dix hectares plantés de cocotiers en bordure de Pansea Beach, sur l'île de Phuket, il comptait y construire la maison de vacances de ses rêves. Mais des contingences matérielles, comme la taille gigantesque du terrain, et le coût des travaux nécessaires à l'installation de l'eau, de l'électricité et autres infrastructures indispensables l'incitèrent à envisager d'y construire un hôtel – un établissement comme il en avait toujours cherché sans jamais en trouver.

Cet homme d'affaires néerlando-indonésien débuta comme journaliste en Asie avant de faire fortune (pour la première fois) dans l'édition. Alors qu'il allait prendre sa retraite à l'âge respectable de trente-neuf ans, le hasard l'amena à travailler pour le groupe Regent, qui a révolutionné l'hôtellerie de luxe en Asie. Puis Zecha quitta la chaîne, qui fut par la suite cédée au groupe Four Seasons, et il préparait sa seconde retraite lorsque la création d'un hôtel d'exception lui apparut comme un défi irrésistible.

Deux ans plus tard, Zecha ouvrit son hôtel. Petit, simple et d'un raffinement inouï, cet établissement est la version tropicale d'un club élégant réservé à quelques heureux élus. Le concept créé par Zecha est si résolument nouveau qu'il rend toute comparaison difficile. En sanscrit, Amanpuri signifie « havre de paix ». Pour Zecha, la paix consistait à se débarrasser de tout ce qu'il détestait dans les hôtels : les chocolats sur l'oreiller, les bandes en papier indiquant que les toilettes ont été stérilisées, les réceptionnistes blasés et hautains, les notes à signer pour la moindre bouteille d'eau, la musique dans les ascenseurs, sans oublier le cocktail de bienvenue donné par le directeur. On le traita de doux rêveur. Aujourd'hui, douze hôtels Aman existent de par le monde, qui ont conquis un noyau dur d'inconditionnels refusant catégoriquement de loger ailleurs.

La clé de ce succès ? La qualité. Zecha, qui a connu une enfance dorée, possède un sens inné du raffinement, dont il a fait son maître mot.

Cela commence dans la voiture climatisée qui vient vous chercher à l'aéroport : housses en tissu d'une blancheur immaculée, sélection de musique pour la route (Mozart, Frank Sinatra, Nina Simone et les Beatles) avec une télécommande qui permet de changer la musique soi-même sans passer par le chauffeur, serviettes fraîches et légèrement parfumées pour s'essuyer le visage, glacière remplie de boissons. Une véritable jubilation du détail ! Entouré de tous ces égards, l'ascète le plus intransigeant se métamorphosera en fervent hédoniste.

La qualité renommée du service est due à la politique de Zecha de n'engager que du personnel local ou, plus exactement, une foule de personnel local. À l'Amanpuri, le ratio employés-clients est de quatre pour un, ce qui est un véritable luxe. Mais si Zecha ne lésine pas sur le personnel, il n'en a pas pour autant négligé l'architecture et la décoration. Les chambres de l'Amanpuri sont uniques au monde. Les clients logent dans des villas privées, divisées en espaces de séjour, de repos, de lecture et de sommeil, avec de somptueuses salles de bains. Et la sublime décoration rend l'Amanpuri encore plus exceptionnel. Ed Tuttle, un architecte américain vivant à Paris, a conçu l'hôtel comme un temple thaï stylisé, inspiré d'Ayuthia, l'ancienne capitale du Siam. Recourant au granit et aux bois locaux avec style et sobriété, Tuttle a su conférer au bâtiment une touche monumentale et authentiquement thaï tout en évitant l'écueil du parc à thème exotique. Cet ethno-modernisme, élégant et minimaliste, marie sols en teck, murs blancs et œuvres d'art thaï.

Choyés à outrance, les voyageurs les plus exigeants au monde ne jurent plus que par l'Amanpuri. Qui pourrait s'en étonner ?

Adresse : Amanpuri, Pansea Beach, Phuket 83000, Thaïlande

Téléphone : (66) 76 324 333 - **Fax** : (66) 76 324 100

Chambres : à partir de 480 $

Amangani

Ce nom associe un mot sanscrit signifiant « paix », *aman*, au terme *gani*, qui veut dire « maison » dans la langue des Shoshone d'Amérique du Nord. Synthèse réussie, l'hôtel applique le meilleur de l'hospitalité asiatique à des paysages et un mode de vie authentiquement américains. l'Amangani campe sur le Spring Creek Ranch, un domaine perché sur une arête dominant le Grand Teton du Wyoming. Ces montagnes, les plus récentes et aussi les plus spectaculaires des Rocheuses, entourent une vallée baptisée Jackson Hole.

Malgré ce nom fort peu engageant, Jackson Hole, ou « Trou de Jackson », accueille le gotha américain depuis que Rockefeller y acheta un vaste domaine (ultérieurement donné à l'État, celui-ci fait désormais partie du Grand Teton National Park). Quantité de grandes fortunes désireuses de s'entourer de nature à l'état pur ont suivi son exemple. On les comprend : des bisons vivent dans la prairie (c'est ici qu'a été tourné *Danse avec les loups*) et la région est peuplée d'élans, de pumas, d'ours bruns et de loups. Aujourd'hui, cette contrée sauvage est la région

des États-Unis qui compte le plus de milliardaires. Le visiteur, lui, découvre l'Amérique des premiers colons partis à la conquête de l'Ouest.

En été, on y pratique la pêche à la mouche, le canoë, la randonnée, l'équitation et le V.T.T., tandis qu'en hiver, s'y retrouvent les passionnés de ski, attirés par les plus fortes pentes du pays et une neige que l'altitude rend très poudreuse. Le minuscule aéroport de Jackson accueille quantité de personnalités qui viennent oublier leur vie trépidante. Harrison Ford y séjourne régulièrement, de même qu'un ancien ministre américain de la Défense, le président de la Banque mondiale et les fondateurs de la marque Patagonia, spécialisée dans les vêtements de plein air.

Bien que Jackson Hole ait été adopté par nombre de célébrités et de fortunes, la plupart des habitants tiennent à leur intimité. L'endroit ne possède ni le prestige, ni le faste d'Aspen. Sans l'intervention de Tom Chrystie, ancien président de Merrill Lynch et nouveau propriétaire de ranch, Adrian Zecha, le fondateur du groupe Amanresort, n'aurait peut-être jamais entendu parler de Jackson Hole. D'ailleurs, ses habitants n'étaient pas enchantés à la perspective de voir s'y implanter un hôtel et, bien que titulaire d'un permis de construire, Chrystie se heurta d'abord à une certaine réticence.

Difficile aujourd'hui d'imaginer ce que quiconque pouvait avoir à redire contre l'hôtel – sauf peut-être que, en comparaison, les autres demeures font désormais pâle figure ou semblent quelque peu tape-à-l'œil. L'Amangani trône, parfaitement à l'aise, entre les magnifiques sommets. Ce *lodge* de montagne arbore une décoration qui semble tout droit sortie d'une publicité Ralph Lauren. Si on avait confié la conception d'un chalet de ski à l'architecte Frank Lloyd Wright, le résultat aurait été assez similaire : novateur, moderne, rustique et monumental, l'endroit est typiquement américain, mais sans aucun passéisme. Les incroyables tranchées de grès horizontales

qui s'étendent vers les paysages saisissant du Grand Teton, s'intègrent à merveille au cadre majestueux. La construction de l'Amangani n'a pas été une mince affaire, mais Ed Tuttle, l'architecte des hôtels Aman, est passé maître dans l'art de créer des bâtiments osés qui sonnent juste. Les chambres spacieuses possèdent des salons privés dotés de cheminées (fonctionnant avec une télécommande). Quant aux salles de bains, fidèles à la tradition Aman, elles sont encore plus vastes. Toute l'architecture intérieure est tournée vers le spectacle extérieur. Depuis la salle de bains, le salon, le bureau, voire les toilettes, les sommets enneigés se dressent devant vous. Le restaurant, la bibliothèque, le grand hall et la piscine chauffée toute l'année rendent eux aussi hommage à la montagne. La décoration affiche une sobriété qui, loin de concurrencer le sublime panorama, le met parfaitement en valeur.

Adresse : Amangani, 1535 North East Butte Road, Jackson Hole, Wyoming 83001, États-Unis
Téléphone : (1) 307 734 73 33 - **Fax** : (1) 307 734 73 32
Chambres : à partir de 500 $

Dunton Hot Springs

Rares sont ceux qui ont entendu parler
de Dunton. Il faut dire qu'il y a encore quatre ans,
la localité n'était qu'une ville fantôme.
Assemblage hétéroclite de cabanes rustiques
(dont une salle de bal, une chapelle et un saloon),
elle est caractéristique de ces villes minières
bâties avec des moyens de fortune qui virent
le jour dans les Rocheuses pendant la ruée vers
l'Or, à la fin du XIXᵉ siècle.

Campé à 2 700 mètres d'altitude, dans ces
montagnes sauvages de la chaîne de San Juan, dans
le Colorado, Dunton resta un camp minier jusqu'à
la fermeture de la mine d'argent d'Emma, en 1944.
Installé à l'autre extrémité du Lizard Head Pass,
qui mène à Telluride, ancienne ville fantôme
reconvertie en station de ski fréquentée par
le tout-Hollywood, Dunton donne sur le El Diente
Peak et le Mount Wilson. Niché dans l'un des plus
beaux paysages des Rocheuses méridionales,
l'endroit est étonnamment pimpant pour une ville
minière. Selon la légende, Butch Cassidy
et le Sundance Kid s'y seraient cachés après avoir
dévalisé la banque de Telluride. Le nom de Butch
Cassidy, gravé sur le bar du saloon, en témoigne.

Le domaine dont Christoph Henkel et
Bernt Kuhlmann firent l'acquisition en 1994 était
peut-être pittoresque, mais totalement décrépit.
Les bâtiments tombaient en ruine, et il n'y avait
ni électricité, ni gaz, ni eau, ni téléphone, ni
égouts… seuls subsistaient le camp abandonné
et les sources chaudes (une eau riche en
minéraux qui jaillit des entrailles de la terre
à 45 °C) qui ont donné leur nom au site.

Respectivement producteur de films et agent
immobilier, les deux acheteurs ne considérèrent
que le potentiel du site, passant sur son état réel.
Ils caressaient le rêve de redonner vie
au Far West d'antan – sans ses inconvénients –
et de recréer l'inoubliable décor des chercheurs
d'or, partis à l'aventure. Le domaine est desservi
par une piste si peu fréquentée que les élans
s'y promènent d'un pas nonchalant.

Kuhlmann et Henkel ont déployé des efforts
considérables pour préserver l'illusion que
quasiment rien n'avait été changé. De loin, on ne
soupçonne pas la moindre rénovation. Les toits
ont conservé leurs plaques de tôle ondulée et,
hormis la salle de bal et le saloon, la plupart des

Dans les Rocheuses, l'ancienne ville minière de Dunton Hot Springs, au Colorado, regroupe des cabanes de mineurs restaurées.

Cette chambre du rez-de-chaussée est agrémentée d'un couvre-lit en patchwork de tissus africains.

La « Honeymoon Cabin », en bordure de rivière.

Une fausse peau de loup couvre le lit et un buffet ancien de Santa Fe est appuyé contre le mur en bois brut.

Totalement décrépites voici encore quelques années, les cabanes ont été rénovées, mais on a conservé leur authenticité.

Avec son couvre-lit en daim, l'intérieur de cette cabane est d'inspiration amérindienne.

Perché à 2 700 mètres d'altitude, Dunton est une valeur sûre pour les amateurs de neige poudreuse.

La plus petite cabane mélange un kilim turc, des étoffes et des masques africains, ainsi que des antiquités du Sud-Ouest américain.

La bibliothèque renferme une imposante collection d'ouvrages sur les villes fantômes et le Far West.

Le lit sculpté en bois du Rajasthan trône dans la « Honeymoon Cabin ».

Une cabane à deux niveaux abrite la piscine où l'on se baigne dans l'eau d'une source chaude.

De la piscine alimentée par une source à 42 °C, la vue porte sur le plus haut sommet de la région.

Une partie du camp minier de 1860 n'a pas été restaurée, ce qui ajoute au charme de Dunton.

L'une des cabanes possède un bassin privé alimenté par une source chaude et tapissé d'ardoise, qui se remplit en vingt minutes.

Selon la légende, Butch Cassidy et le Kid se seraient cachés dans le saloon de Dunton après le hold-up de la banque de Telluride.

L'intérieur de la bibliothèque est agrémenté d'une peau d'ours, d'une cheminée et d'une mezzanine.

Bernt Kuhlmann, l'un des propriétaires des lieux, s'est marié dans cette chapelle ouverte au pied d'une cascade.

Des roues de chariot transformées en lustres, un plafond en fer blanc et une imposante table de billard décorent le saloon.

constructions sont de simples cabanes en rondins patinées par les intempéries. Il faut y regarder de plus prêt pour constater que trois millions de dollars y ont été dépensés en restauration. C'est en cela que réside la beauté du lieu. Dominé par les sommets majestueux des montagnes de San Juan, Dunton a tout d'un rude camp de mineurs : l'aspect, l'ambiance et l'odeur, tout y est. On n'y décèle aucun luxe apparent… jusqu'au moment où l'on pénètre dans les bâtiments. Antiquités de Santa Fe, masques africains, kilims turcs, lits du Rajasthan, fauteuils chinois et tapis marocains s'assemblent en un décor éclectique et multi-ethnique qui confère à chaque cabane un style particulier. Ce raffinement contrebalance parfaitement l'extérieur rustique de ces anciennes habitations de mineurs.

L'intérieur est aussi confortable qu'élégant. Le revêtement en ardoise cache un chauffage par le sol, les salles de bains abritent des baignoires et des douches somptueuses, à la hauteur des palaces des métropoles. Des chaînes stéréo sont cachées dans des armoires anciennes. Le saloon possède une cuisine professionnelle moderne, et l'un des bâtiments cache une source chaude, un bassin d'eau froide et un centre de massage. Au milieu du camp restauré se dresse le tipi jaune, une construction amérindienne qui abrite l'une des nombreuses sources chaudes. Une cabane d'une grande sobriété extérieure recèle une bibliothèque de deux étages, avec une cheminée, des fauteuils en cuir et une imposante collection d'ouvrages sur l'Ouest américain.

Ce Far West teinté de luxe et de charme accueille essentiellement une clientèle de dirigeants d'entreprise. Il leur offre ce rêve unique : se replonger dans le temps romanesque de la ruée vers l'or et des bagarres de saloon.

Adresse : Dunton Hot Springs, PO Box 818, Dolores, Colorado 81323, États-Unis

Téléphone : (1) 970 882 48 00 - **Fax** : (1) 970 882 74 74

Chambres : à partir de 350 $

Sunset Beach

En été, la Nouvelle-Angleterre est le paradis des pique-niqueurs et des amateurs de yachting en chaussures de bateau, pantalons de toile et vêtements bleu marine. On y découvre cette Amérique au teint hâlé des publicités de Ralph Lauren, de Tommy Hilfiger et de Nautica.

Cette tradition estivale décontractée mais néanmoins distinguée, caractéristique de la côte Est, est née ici, en Nouvelle-Angleterre, patrie des WASP, les « White Anglo-Saxon Protestants », qui ont investi des lieux comme Nantucket, Martha's Vineyard, Newport et Kennebunkport. Autrefois, les Hamptons en faisaient partie. Relativement proche de New York, la région a vu arriver des citadins qui y ont élu domicile tout en travaillant dans la métropole. Sa popularité est devenue telle que les petits villages aux maisons en bois se sont peuplés d'habitants fortunés. Véritable quartier de New York, les Hamptons affichent désormais toute sa préciosité et sa sophistication.

Toutefois, à moins de trois heures de la métropole, l'authentique Nouvelle-Angleterre a survécu. Couverte de forêts verdoyantes, Shelter Island est sillonnée de petites routes de campagne qui serpentent entre les fermes et les maisons en bois rustiques. À seulement quelques kilomètres de route et de ferry des Hamptons, l'île en est à des années-lumière. Et ses habitants sont très attachés à ce décalage. L'endroit est simple, sauvage et sans prétentions. Même en plein été, les commerces et les restaurants ferment tôt. Il n'y a ni boîtes de nuit, ni établissements branchés, ni voituriers. À Shelter Island, on ne cherche à impressionner personne, ni à être vu de qui que ce soit. La vie est rythmée par les baignades à la plage, les excursions en voilier, le ski nautique et le vélo. Parfaitement dépaysant, le Sunset Beach est fidèle au mode de vie de l'île. Le fait que son propriétaire, Andre Balazs (celui de Château Marmont et du Mercer Fame), y a élu domicile n'y est sans doute pas étranger.

Plus connu pour ses établissements somptueux de Los Angeles et de New York, Balazs a estimé qu'ici, le paysage primait sur l'architecture de l'hôtel. De fait, le Sunset Beach est à mi-chemin entre le motel californien des années soixante-dix et la *guest house* de Nouvelle-Angleterre. Les travaux de rénovation

ont préservé son côté un tantinet kitsch et désuet. Le Sunset Beach ne remportera jamais aucun prix d'architecture, mais peu importe.

L'établissement compte vingt chambres, disposant toutes d'une belle vue sur le rivage, d'une grande terrasse, d'un espace de séjour, d'un grand lit tout simple… et d'une gigantesque pile de serviettes blanches moelleuses. En y regardant de plus près, on découvre la signature luxueuse de Balazs : des draps somptueux, quelques meubles et lampes design, ainsi qu'un mini-bar et une corbeille gourmande remplie à ras bord (soyez honnête, vous auriez été déçu de ne pas trouver un soupçon de luxe).

Côté gastronomique : un café sert le petit déjeuner ou le brunch et une terrasse en plein air permet de déjeuner et de dîner sous les arbres, avec de superbes échappées sur l'une des plus jolies baies de Shelter Island. On a du mal à croire que cette région fut l'une des premières terres colonisées lors de la conquête du Nouveau Monde. Découverte au XVIIᵉ siècle, Shelter Island (« île aux abris ») tient son nom de l'époque où Sag Harbor était la capitale de la chasse à la baleine sur la côte Est, et où les nombreuses petites baies de l'île offraient le seul refuge sûr face à la fureur de l'Atlantique. N'hésitez pas à explorer l'île, vous verrez que peu de choses ont changé depuis cette époque.

Malgré l'immense popularité des Hamptons voisins et de Sag Harbor, très fréquenté le week-end, l'île a fort heureusement déjoué toute tentative pour la relier au continent par un pont. Soutenues par une association de résidents, les autorités de l'île ont dit non au tourisme de masse. Peu pratique et coûteux, d'une capacité maximale de quinze voitures, le ferry décourage plus d'un visiteur. Une aubaine pour les clients du Sunset Beach.

Adresse : Sunset Beach, 35 Shore Road, Shelter Island, Long Island, New York 11965, États-Unis
Téléphone : (1) 516 749 20 01 - **Fax** : (1) 516 749 18 43
Chambres : à partir de 160 $

The Point

Les célèbres « great camps » étaient l'apanage des riches Américains. Ou plus exactement des richissimes Américains. En été, fuyant l'humidité oppressante de New York, les Vanderbilt, Rockefeller, Carnegie et autres Morgan venaient camper en bordure des magnifiques lacs nichés dans les monts Adirondack, dans le nord de l'État de New York, juste sous la frontière canadienne. Ces grandes fortunes avaient du camping une conception bien particulière. Construits à la fin du XIXᵉ siècle, les « great camps » étaient en réalité de véritables propriétés, avec garages, abris à bateau et dépendances pour le personnel, à mille lieux de la vie en plein air. Interprétations baroques et excentriques de la vie champêtre, les demeures foisonnaient de chaises construites en branches tortueuses, de lustres en ramures et autres tables montées sur des troncs d'arbre. Les « great camps » étaient une version bûcheronne des châteaux de Bavière. La vie y était fort agréable. En été, les lacs invitaient au canoë, à la voile et au ski nautique, tandis qu'en hiver, les journées étaient consacrées au patin à glace, à la pêche, à la luge, aux promenades en raquettes ou en traîneau à chiens.

L'âge d'or des *robber barons*, les requins de la finance, est révolu depuis le début du siècle. Le nouveau gotha new-yorkais préfère désormais passer ses étés dans les Hamptons et sur la côte de Long Island, mais quelques « great camps » ont survécu en se convertissant à l'hôtellerie.

Celui de William Avery Rockefeller trône sur une péninsule qui s'avance dans le Upper Saranac Lake. Rebaptisé The Point, il permet de jouer les milliardaires dans un décor digne – de l'extérieur – du *National Geographic* et – à l'intérieur – d'une publicité pour Ralph Lauren. D'imposantes cheminées de pierre, des parquets en bois brut, des canoës suspendus à des chevrons et des trophées de chasse y côtoient plaids de bûcheron rouge et noir, peaux de zèbre et lampes diffusant une lumière chaleureuse.

Plusieurs styles d'hébergement coexistent, depuis l'étage de l'abri à bateau aux allures de grenier jusqu'à la suite installée dans l'ancien poste d'essence du camp, dont le rez-de-chaussée abrite une salle de billard et un bar.

Les propriétaires, David Garrett, ex-agent de change, et son épouse Christie, ex-paysagiste,

THE POINT
OF IT ALL

161

ont découvert The Point au début des années quatre-vingt, en venant y fêter leur anniversaire de mariage. Tombés éperdument amoureux du domaine de cinq hectares, ils assurèrent à son propriétaire d'alors que, le jour où il souhaiterait vendre, ils seraient acheteurs. Leur rêve devint réalité plus vite que prévu. En 1986, les Garrett, nouveaux maîtres des lieux, décidèrent de faire revivre le luxe et la beauté des « great camps ».

L'établissement, qui ne ressemble en rien à un hôtel, ne compte que onze chambres, pouvant accueillir au grand maximum vingt-deux personnes. Le client y a un peu le sentiment d'être l'invité d'un *robber baron*. À l'instar d'un invité, il ne se voit pas présenter de facture en fin de séjour. Les prix forfaitaires se paient à l'avance, de sorte que vous n'aurez pas un centime à débourser sur place. Du champagne grand cru à la simple tasse de thé, tout ce que vous désirez boire ou manger vous sera servi à n'importe quel endroit de la propriété, à toute heure du jour et de la nuit. Le forfait comprend aussi toutes les activités : bateau, ski nautique, canoë-kayak ou promenade au fil de l'eau dans de superbes embarcations en acajou, à moteur électrique donc parfaitement silencieuses.

Pour améliorer la cuisine, les Garrett embauchèrent Albert Roux, le propriétaire du Gavroche à Londres (trois étoiles au *Michelin*), comme consultant. Ce dernier fait régulièrement venir des cuisiniers de son restaurant pour une durée de dix-huit mois, le temps de renouveler la carte. Les clients européens sont peut-être habitués à une table de cette qualité. En revanche, il y a fort à parier qu'ils n'auront jamais vu d'étendues sauvages comme celles qu'offre The Point. Or, hier comme aujourd'hui, le véritable luxe ne réside-t-il pas dans la solitude ?

Adresse : The Point, HCR#1 Box 65, Saranac Lake, New York 12983, États-Unis

Téléphone : (1) 518 891 56 74 - **Fax** : (1) 518 891 11 52

Chambres : à partir de 900 $

Twin Farms

Superbe et totalement sauvage, le Vermont, contrairement à ses voisins, l'État de New York, le Connecticut et le Massachusetts, ne compte pas de métropoles et pas d'autoroutes démesurées. La protection de la nature et l'accueil des visiteurs constituent sa seule véritable industrie. Il y a deux siècles, ses magnifiques forêts faillirent disparaître. Cet État comptait deux millions d'habitants. Voué à l'agriculture, il n'abritait plus que des prairies, parsemées çà et là de quelques bosquets. Aujourd'hui, les arbres ont pris leur revanche sur les pâturages, et la population a chuté à 500 000 habitants.

La nature ayant repris ses droits, le Vermont est très prisé des New-Yorkais et autres citadins en mal de verdure. Ses attractions changent au gré des saisons : spectacle multicolore des forêts en automne, pistes de ski en hiver, randonnée, V.T.T. et kayak au printemps et à l'automne. Les hameaux nichés dans les vallées pittoresques ne comptent souvent qu'une épicerie, un bureau de poste, une église et une école.

Le Twin Farms permet d'apprécier la nature dans un cadre incroyablement luxueux. Cette propriété de 150 hectares, qui appartenait autrefois à l'écrivain Sinclair Lewis et à son épouse, la journaliste Dorothy Thompson, accueillit une foule de personnalités du monde des arts, de la littérature et du cinéma. Puis, dans les années soixante-dix, Thurston Twigg-Smith, magnat de la presse, mécène et philanthrope installé à Hawaï, acheta la propriété pour en faire le lieu de villégiature de sa famille. Ami de la nature et des arts (le musée d'Art contemporain d'Honolulu a vu le jour grâce à son action), il fut séduit par son isolement et son cadre. Toutefois, des milliers de kilomètres séparant Hawaï de la côte est des États-Unis, la famille y séjournait rarement. Les Twigg-Smith envisageaient de vendre le domaine lorsqu'un séjour à The Point (voir p. 244) leur donna une meilleure idée : ils décidèrent de transformer le Twin Farms en établissement aussi luxueux.

Il correspond parfaitement à l'idée qu'on se fait de la demeure de campagne d'une famille d'éditeurs doublés d'amateurs d'art. De l'extérieur, la propriété affiche le style de la Nouvelle-Angleterre : lattes de bois grises, fenêtres de style colonial, sans oublier

La salle de bains de l'« Orchard Cottage »
du Twin Farms, d'inspiration japonaise.

Même la salle de bains de la « Log Cabin »
reprend le thème canin. La décoration
fut la dernière réalisation de Jed Johnson.

Les fauteuils « Adirondack » installés
sous un vieux châtaignier complètent
le tableau champêtre.

La « Log Cabin », ou plutôt « dog cabin » :
la décoration de cette villa est tout entière
dédiée au meilleur ami de l'homme.

Les femmes de chambre se déplacent
dans d'anciennes et pittoresques
Morris Minor aux armatures en bois.

Les chiens sont omniprésents :
sur les coussins, les tableaux et les tapis.
C'est absurde, original et surtout amusant.

Les murs constellés de pois, la cheminée
carrelée et les coussins colorés sont
caractéristiques du style *Federation*.

Dénichée dans le Kentucky, la « Log Cabin »
a été intégralement remontée
dans le Vermont.

Trônant entre les pommiers, l'« Orchard
Cottage » est inspiré d'un pavillon japonais.

Dans la tradition des hôtels d'autrefois, le Twin Farms est meublé comme une demeure élégante, avec nombre d'œuvres d'art.

Les clients du Twin Farms logent pour la plupart dans des maisons éparpillées dans la forêt du domaine.

Un pont métallique couvert enjambe la petite rigole qui sépare le bâtiment principal du bar.

L'incontournable grange rouge – attribut de toute ferme américaine qui se respecte.

Le pont (voir ci-dessus à droite) rappelle les constructions du Madison County.

L'architecture typique de la Nouvelle Angleterre, avec ses murs en bois et ses marches en pierre.

Avec ses murs en bois, le bâtiment principal, qui abrite quatre suites et la salle à manger, est typique de la Nouvelle-Angleterre.

Spacieux et clair, le salon principal foisonne d'antiquités et donne sur le jardin.

Jed Johnson et Alan Wanzenberg ont sillonné l'Europe et les États-Unis pour réunir les antiquités éclectiques du Twin Farms.

l'incontournable véranda. Mêlant antiquités parisiennes, toiles de Hockney, Lichtenstein et Twombly (pour ne citer que quelques peintres), et tapis guatémaltèques, l'intérieur est plus éclectique et aristocratique. Les propriétaires ont rassemblé le mobilier au terme d'un tour du monde de deux ans, aidés par le décorateur mondain Jed Johnson. Ce dernier venait d'achever la décoration du Twin Farms lorsqu'il disparut lors du tragique accident du vol TWA 800.

Le maître queux est Neil Wigglesworth, un ancien du Gavroche de Londres (trois étoiles au *Michelin*). Lorsqu'il affiche complet, l'hôtel n'accueille guère que vingt-huit clients, auxquels s'offrent une foule d'activités. La forêt qui entoure les villas abrite un *furo*, un bain japonais. Dans cet immense bassin de pierre entouré de parois en verre, les baigneurs peuvent admirer les magnifiques forêts du Vermont. Le bâtiment abritant le bar, version saloon, accueille une table de billard, une immense cheminée à l'étage supérieur et une salle de gymnastique ultramoderne au niveau inférieur. En hiver, les clients s'adonnent aux joies du ski sur une piste privée (avec remontée mécanique), tandis qu'en été, un petit lac et deux courts de tennis en quick les attendent. Tous les matins, au petit déjeuner, les clients se voient demander ce qu'ils souhaitent faire. Les activités sont ensuite organisées avec l'efficacité discrète qui caractérise le Twin Farms.

Le séjour est libéré des désagréments traditionnels : pas d'enregistrement à l'arrivée, pas de comptoir de réception et pas de factures à payer en partant (tout est réglé à l'avance). Le résultat rappelle la définition que le poète et philosophe américain Ralph Waldo Emerson donnait de l'hospitalité parfaite : « un peu de feu, un peu de nourriture et beaucoup de silence ».

Adresse : Twin Farms, Barnard, Vermont 05031, États-Unis
Téléphone : (1) 802 234 99 99 - **Fax** : (1) 802 234 99 90
Chambres : à partir de 800 $

À Jeanne d'Arc *(alias Danielle)*

Crédit photographique

Toutes les photographies sont de Herbert Ypma, à l'exception de celles de : Vatulele, Mandawa Desert Resort, Neemrana Fort-Palace, Surya Samudra et Les Deux Tours, toutes de Willem Rethmeier ; Blancaneaux Lodge, de Tony Rath ; Amanpuri, fournies par Amanresorts ; El Questro, Hotel Explora, Pangkor Laut, Singita et Ngorongoro Crater Lodge, toutes fournies par les hôtels.

Édition française : Odile Perrard
Traduction : Tina Calogirou et Janine Lévy
Mise en page : Chrystel Arnould
Dépôt légal : 10601-04/2001